清康熙十八年本

# 芥子園畫譜

第一集 卷二 金陵沈心友刊

## 畫樹起手四岐法

畫山水必先畫樹。樹必先幹。幹立。加點則成茂林。增枝則爲枯樹。下手數筆最難。務審陰陽向背。左右顧盼。當爭當讓。或繁處增繁。或　而益簡。故古人作畫。千巖萬壑不難一揮而就。獨於看家本樹大費經營。若作文者。先立間架。間架既立。潤色何難。當熟四岐後觀諸法。四岐者。即畫家所謂石分三面。樹分四枝也。然不曰面而曰岐者。以見此法參伍変幻。直若路之分岐。熟之則四岐之中。面面有眼。四岐之外。頭頭是道。千頭萬緒皆由此出。

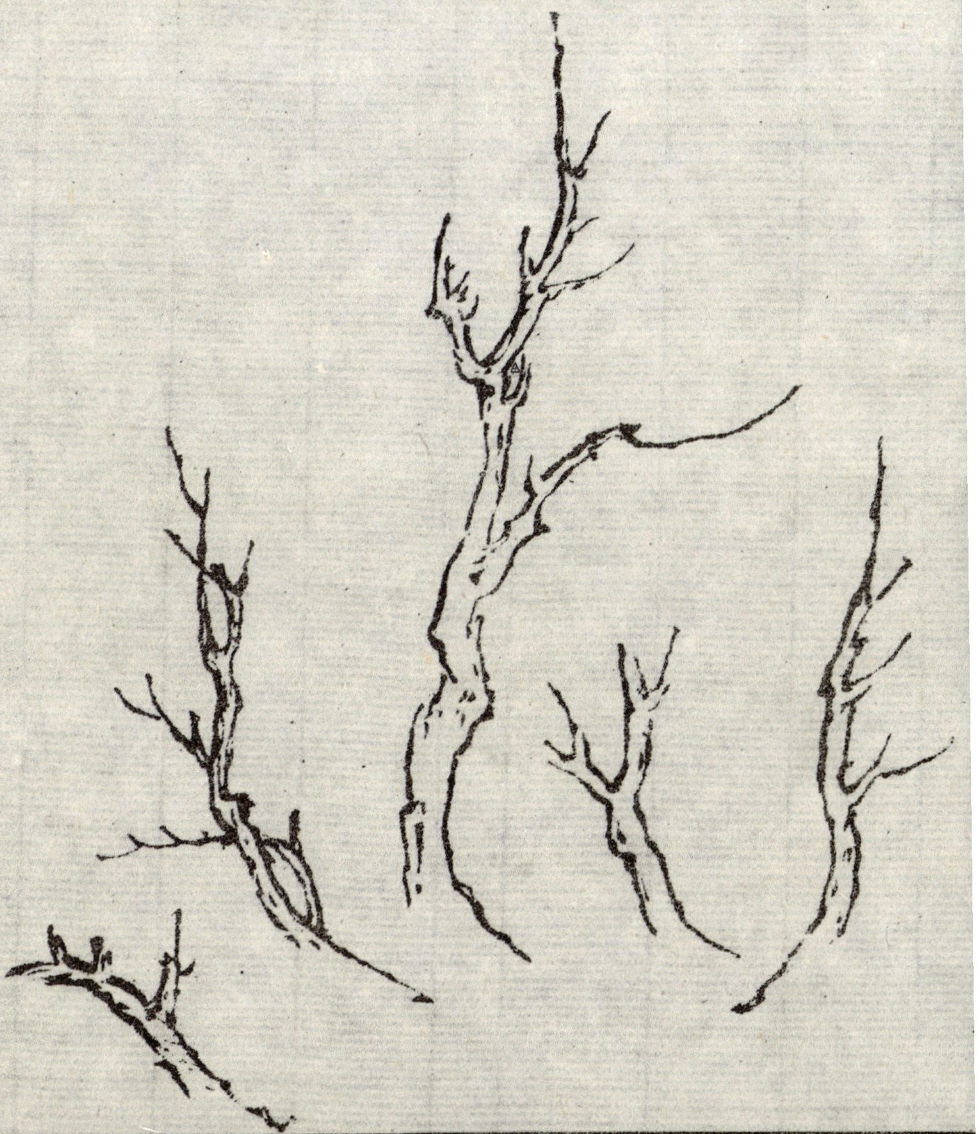



## 二株畫法

二株有兩法。一大加小。是爲負老。一小加大。是爲携幼。老樹須婆娑多情。幼樹須窈窕有致。如人之聚立。互相顧盼。

二株分形

二株交形

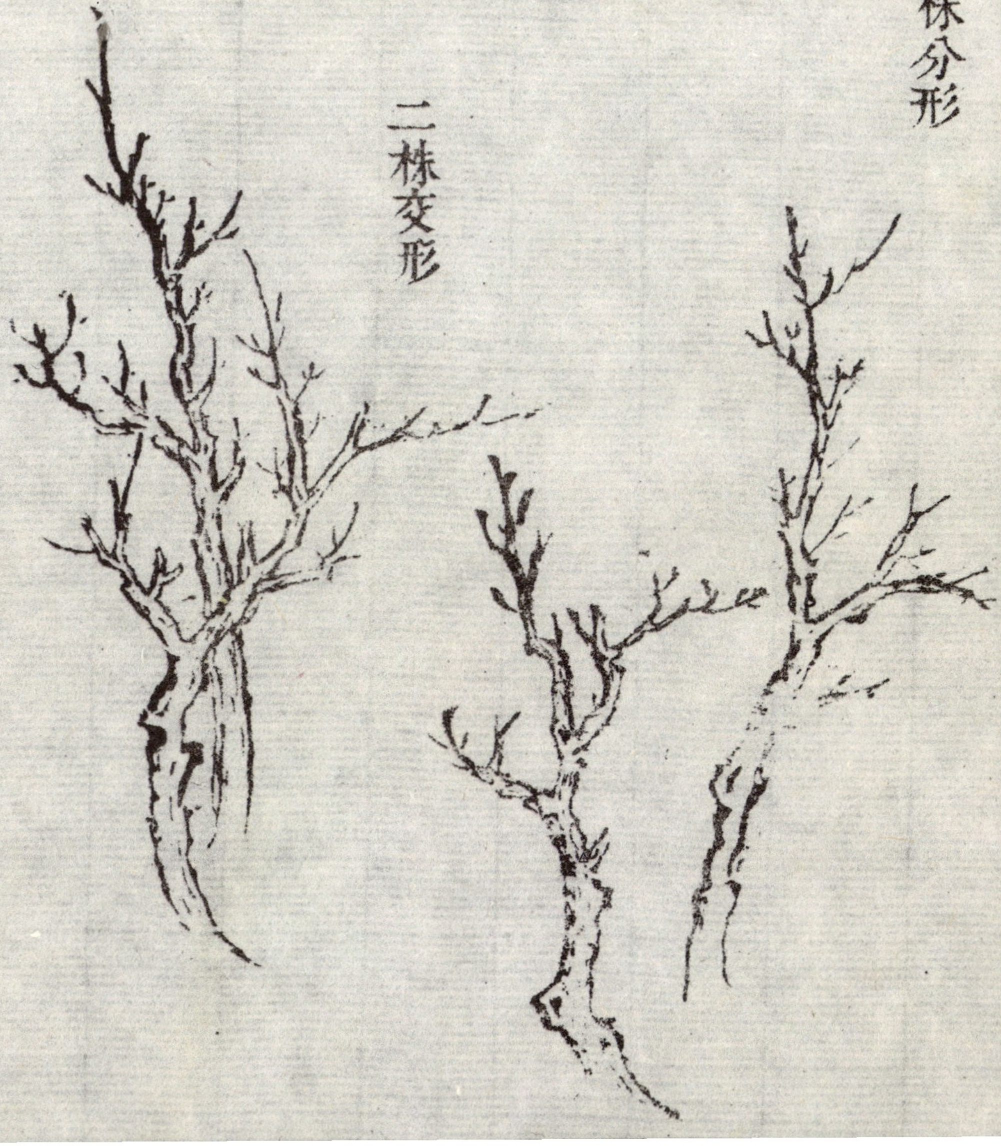

## 大小二株法

二株畫法

雖屬雁行最忌根頂俱齊。狀如束薪必須左右互讓穿插自然。

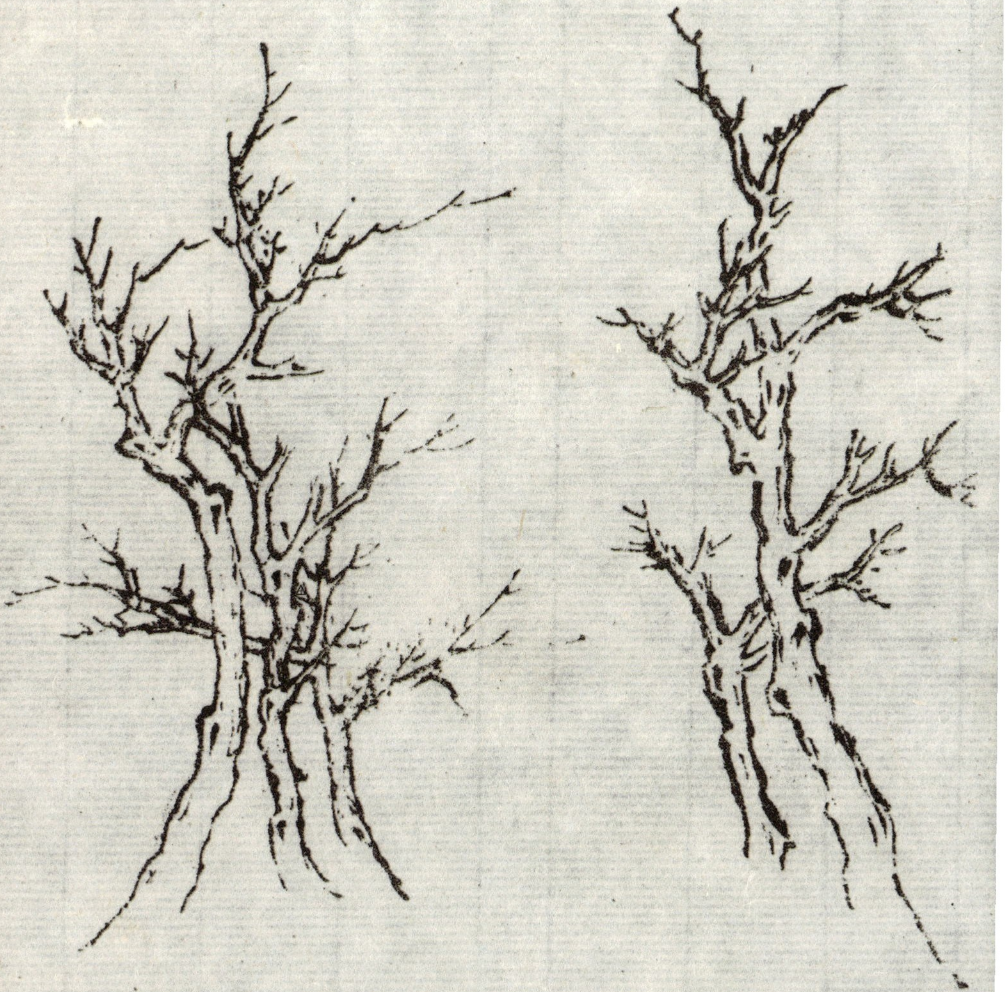



## 三株對立法

五株畫法

不畫四株。竟作五株者。以五株既熟。則千株萬株。可以類推。交搭巧妙。在此轉關。故古人多作五株。而雲林更有五株烟樹圖。若四株。則分三株而加一。加兩株而疊畫。即是。故不必更立。

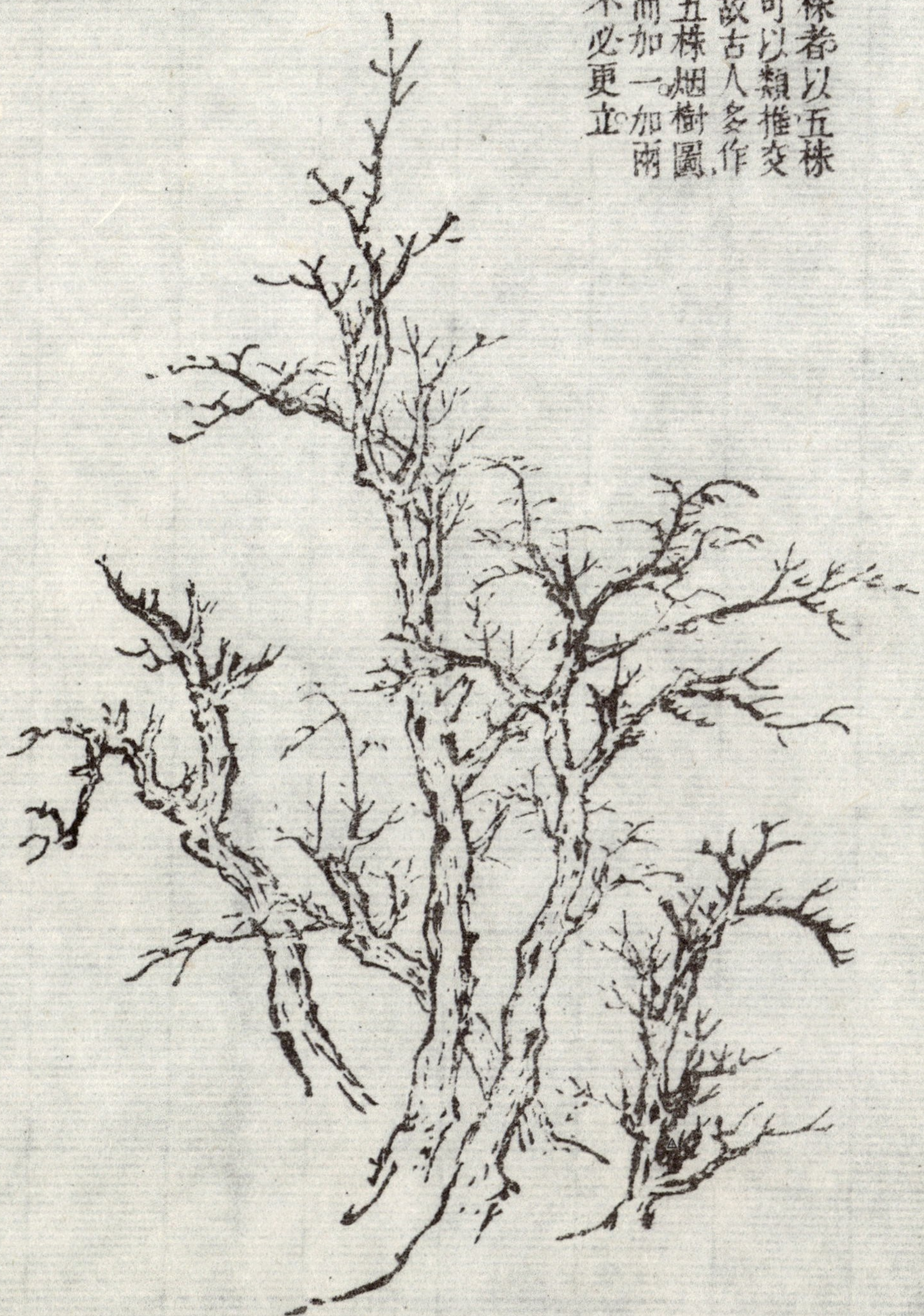



鹿角畫法

此法最有致。宜寫秋林。不雜他幹。或以濃墨加於衆樹之頂。有如雞群之隺也。○如作初春。上可加嫩綠小點。作霜林。則以硃砂赭雜點紅葉。

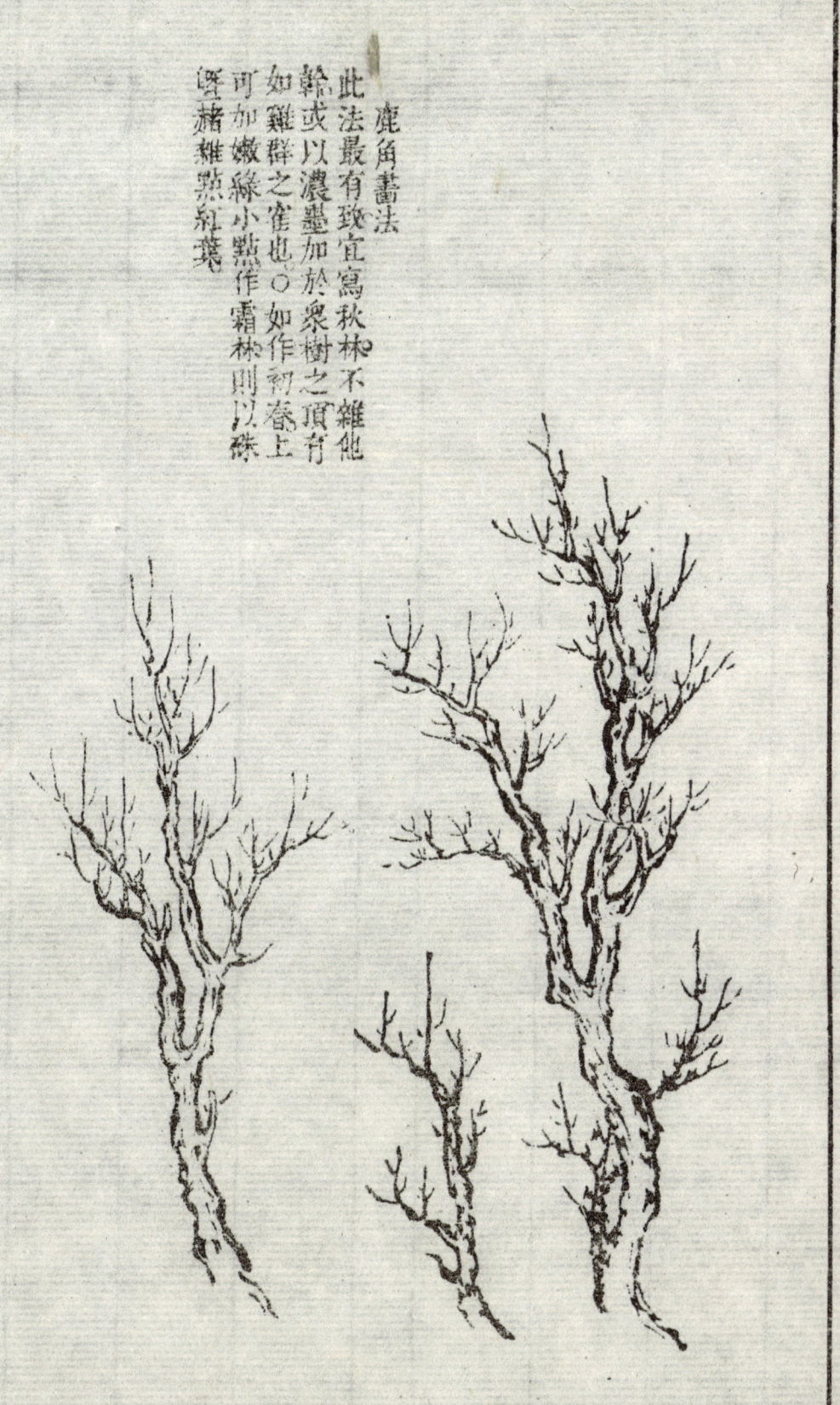

## 蟹爪畫法

必須鋒鋩畢露如書家所謂懸鍼者是可配荷葉皴以筆法皆主犀利也○醮墨畫之再以淡墨罩染便成烟林寫向寒山四圍墨暈遂爲珠樹。

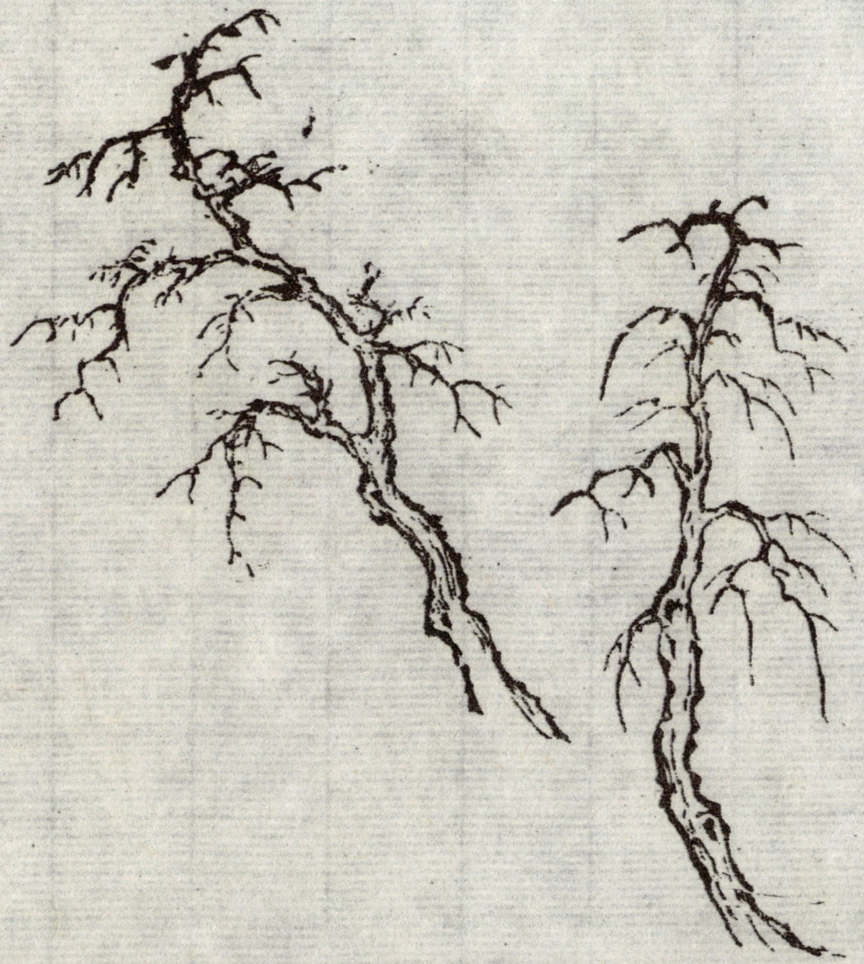



## 露根畫法

樹生於山腴上厚則多藏根若嵌石漱泉於懸崖千仞鐵壁萬層之地則峪岈古樹每多露根直若遺世僊人清癯蒼老筋骨畢露更足見奇耳○若作雜樹一叢中間偶露一二以破板直亦可然必審其樹之懸癭累節者方妥若盡爲之則又似鋸齒釘鈀未爲雅觀

梅花鼠足點梅道人喜畫之

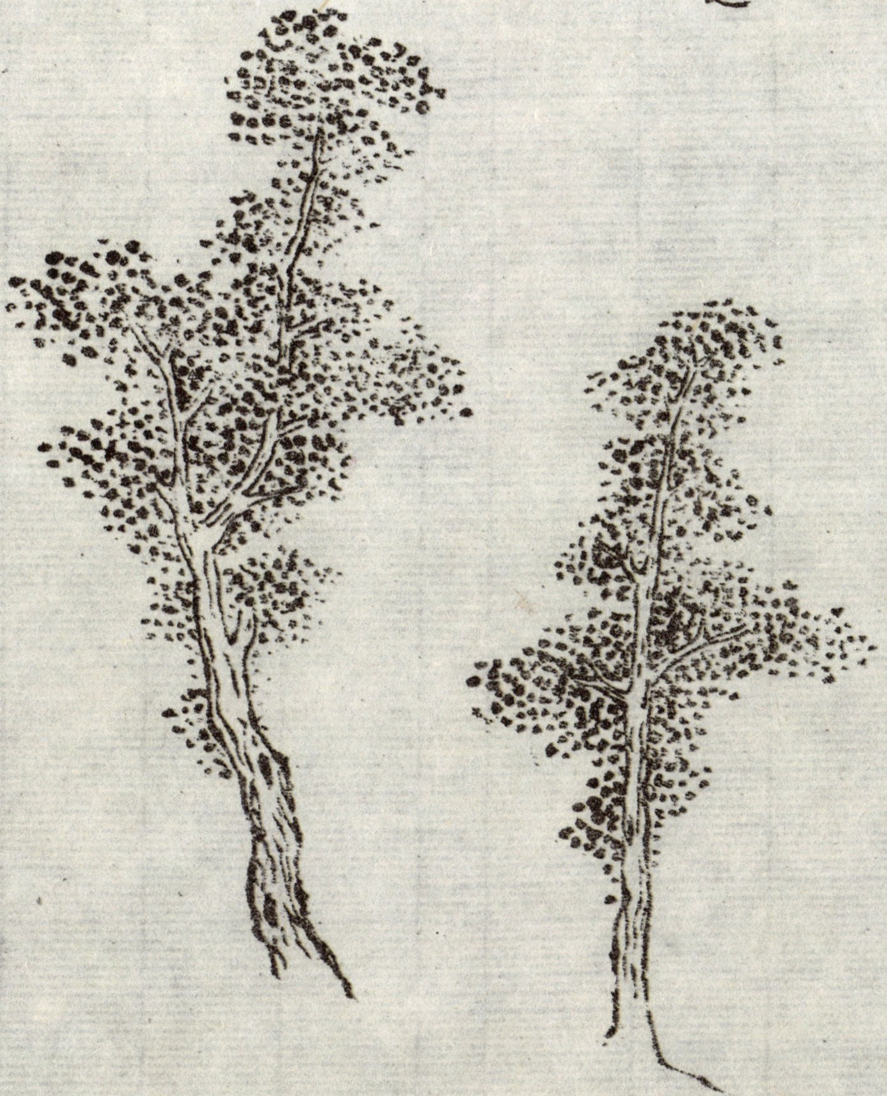



菊花點樹

胡椒點樹

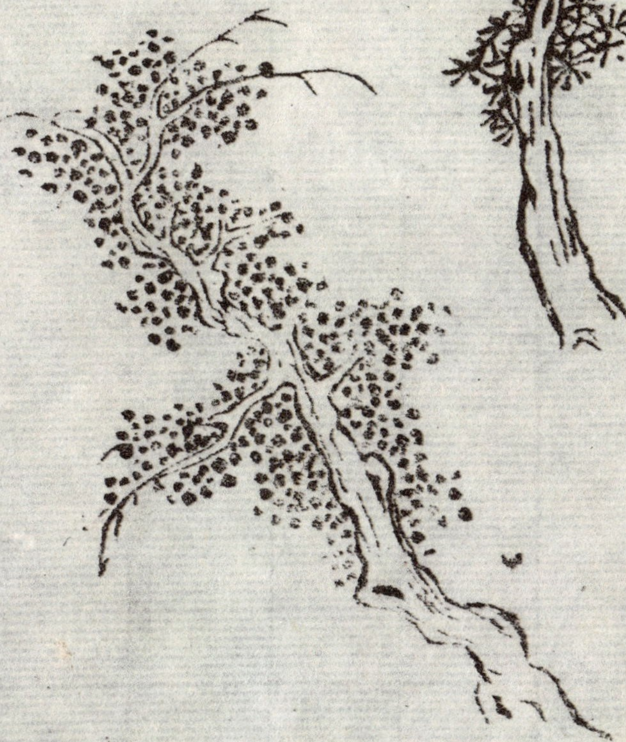

含苞畫法
初春樹皆枝節萌生。及秋盡葉脫有如骨節直露井日昔用此法。

迎風取勢畫法
李唐每用此於孤石危峰

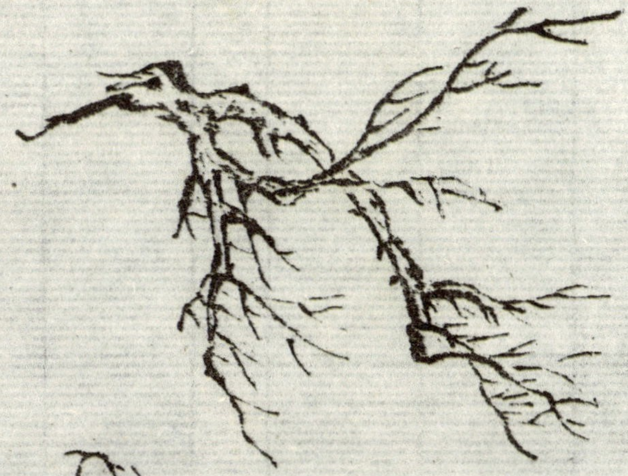

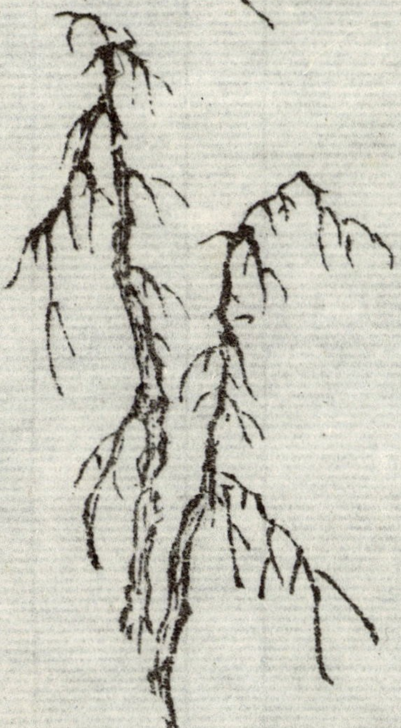

雲林多畫之


芥子園畫譜
卷二
二二

樹中襯貼疎柳法

根下襯貼小樹法

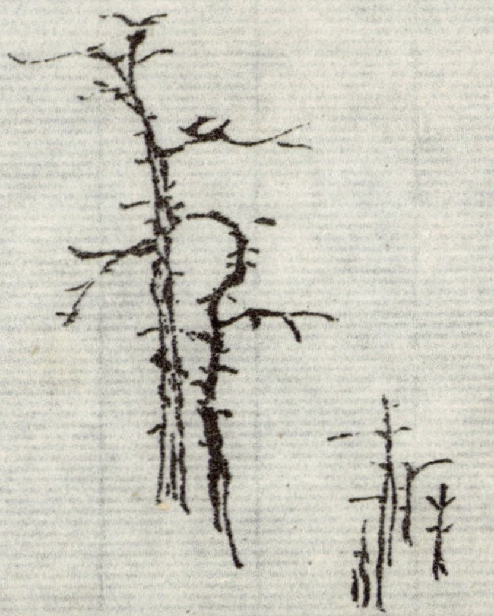

## 點葉法

點葉勾葉不復分别某家用某點某樹用某圈者以前後各樹中俱載有古人點法點法雖不同然隨筆所至於無意中相似者亦復不少當神而明之不可死守成法

介字點

胡椒點

小混點

个字點

梅花點

鼠足點

菊花點

垂藤點

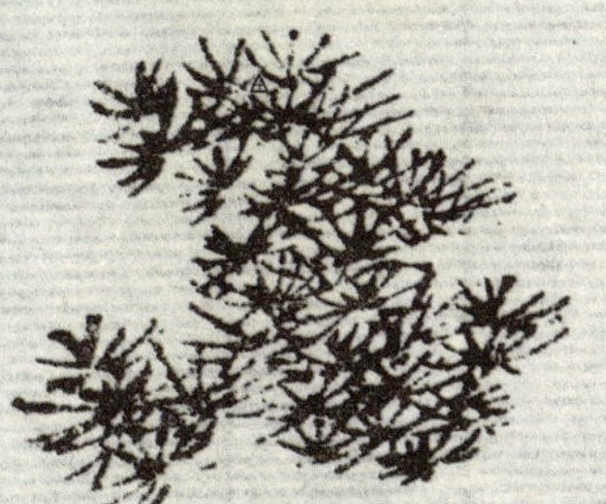

水藻點

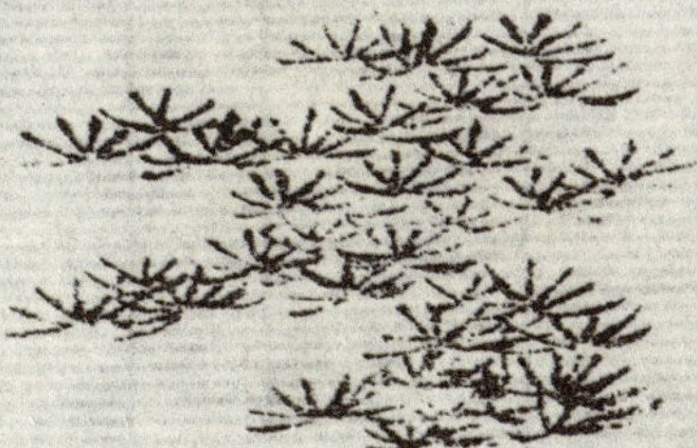

松葉點

柏葉點

椿葉點

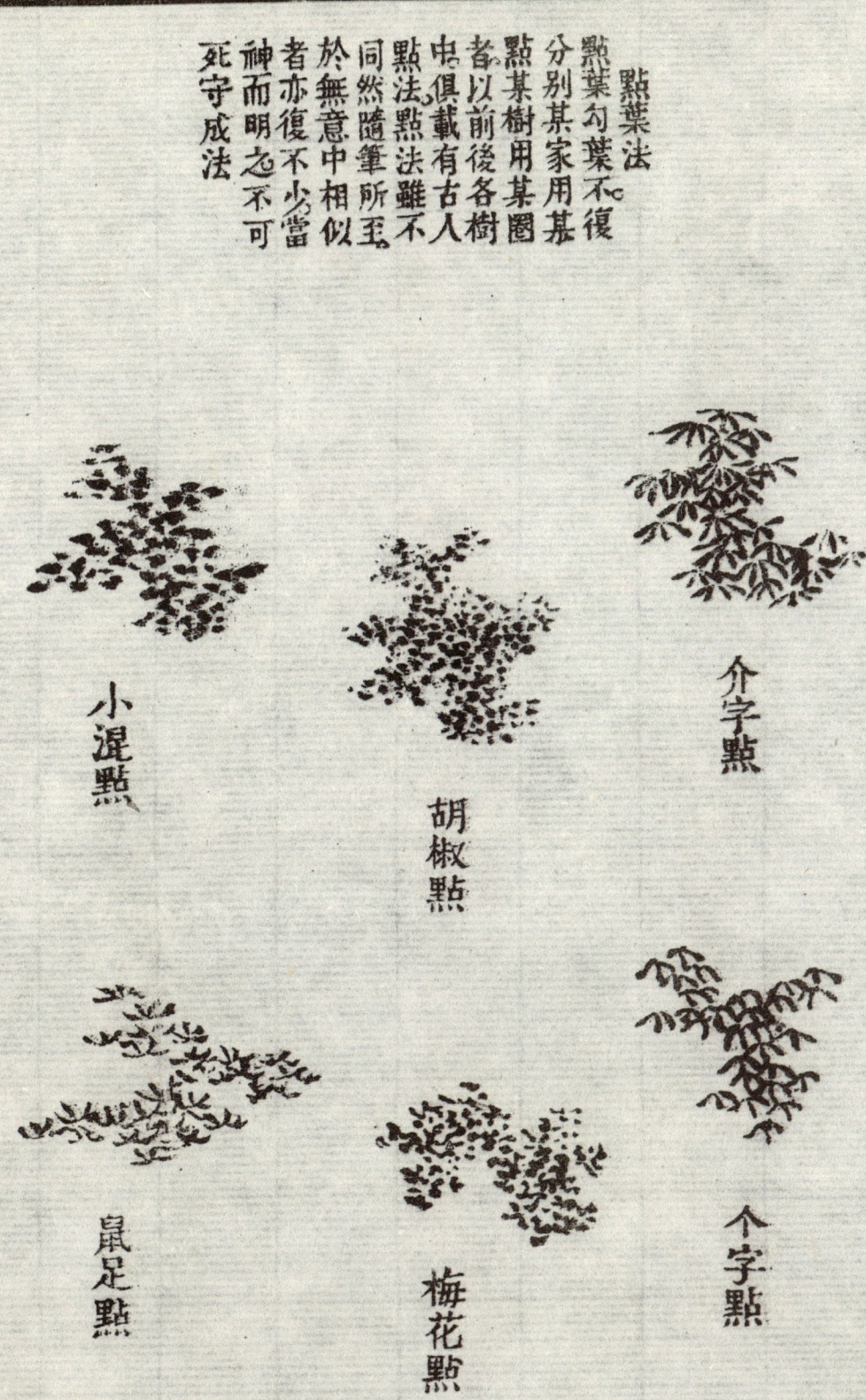

大混點

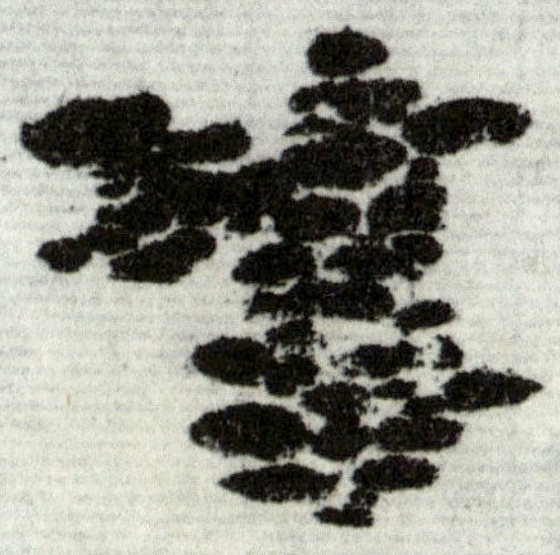

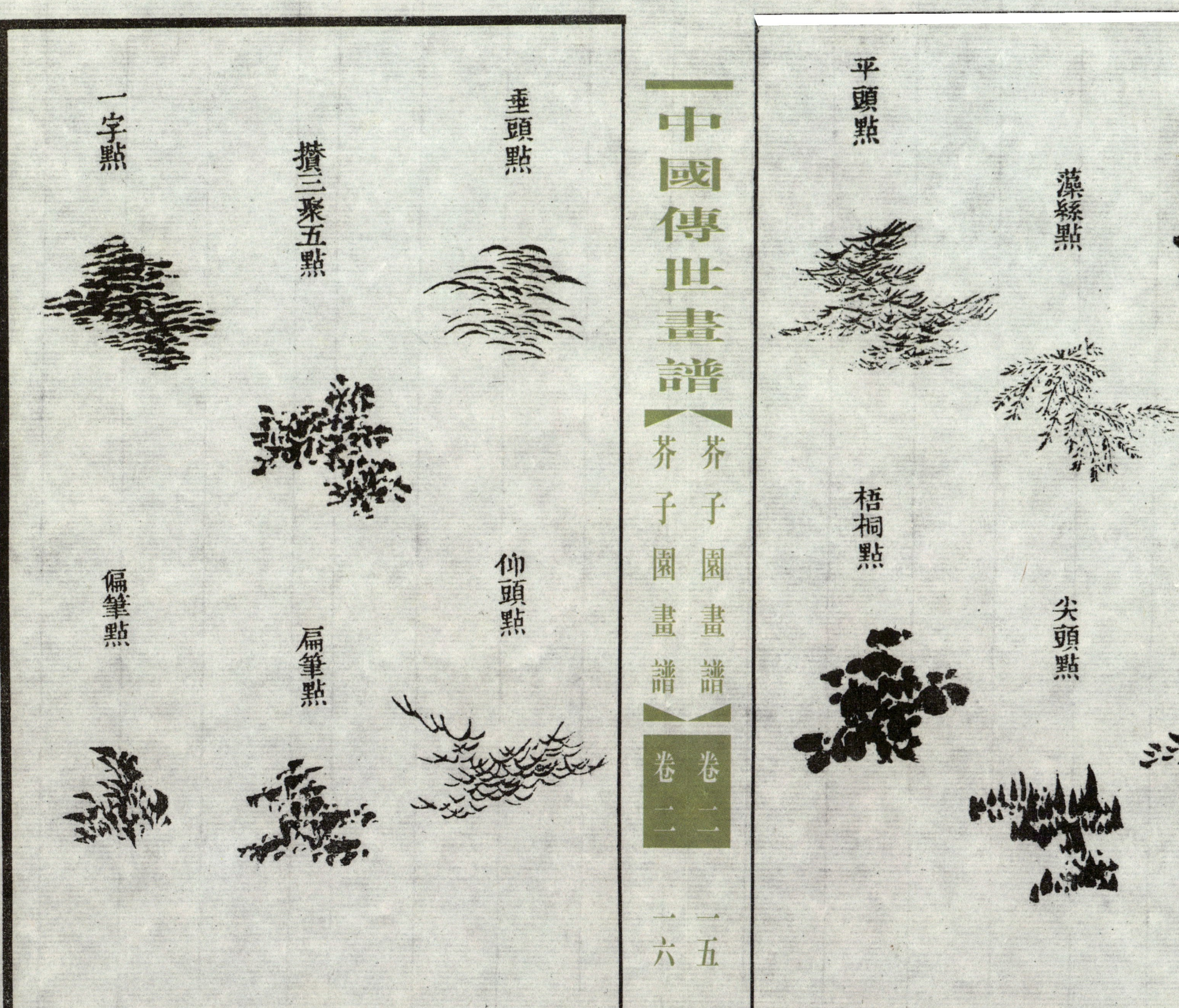

藻絲點

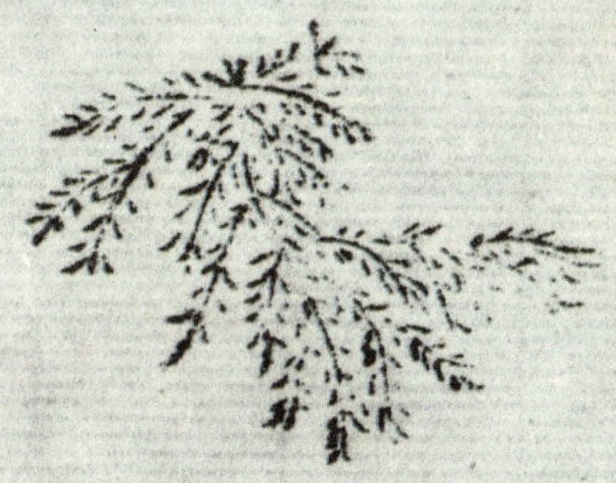

平頭點

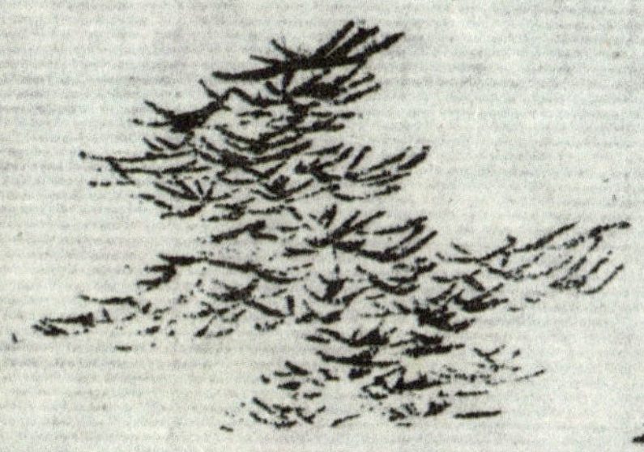

攢三點

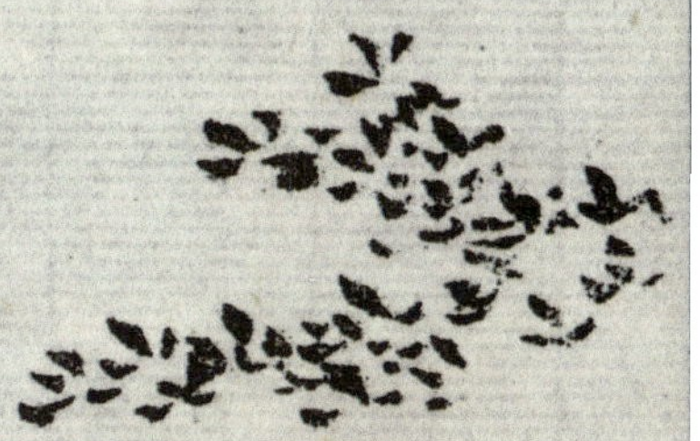

尖頭點

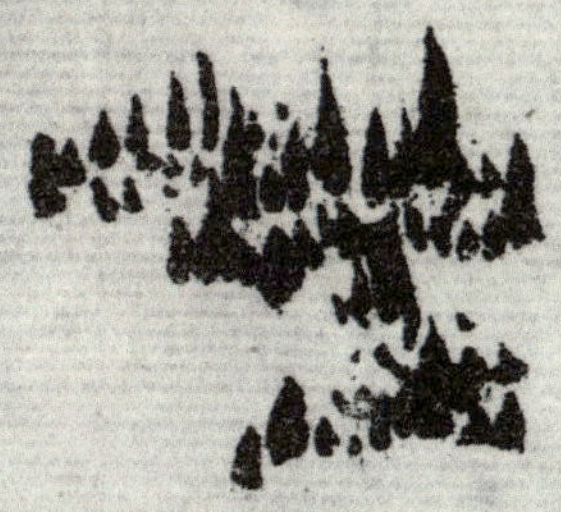

梧桐點

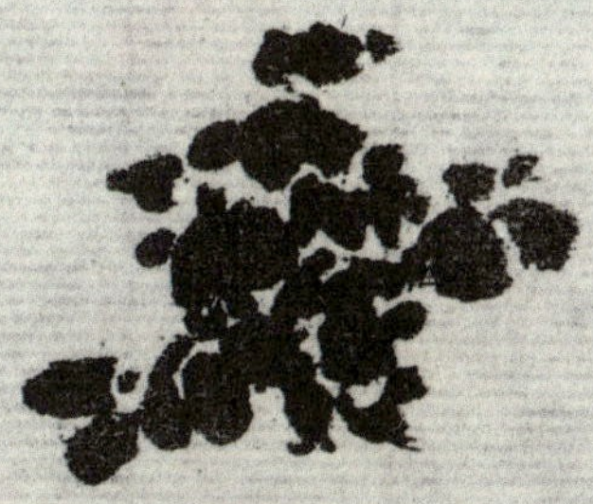



垂頭點

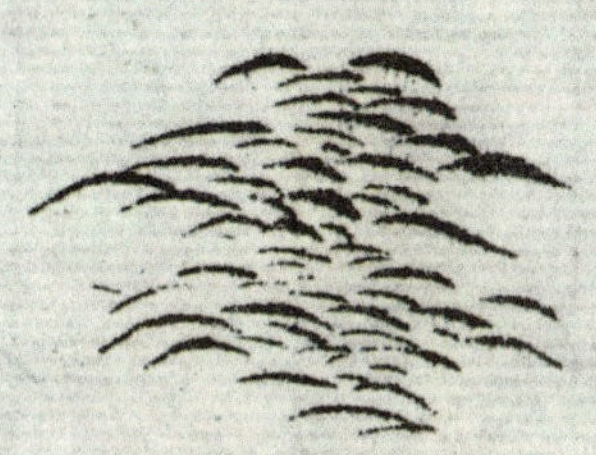

攢三聚五點

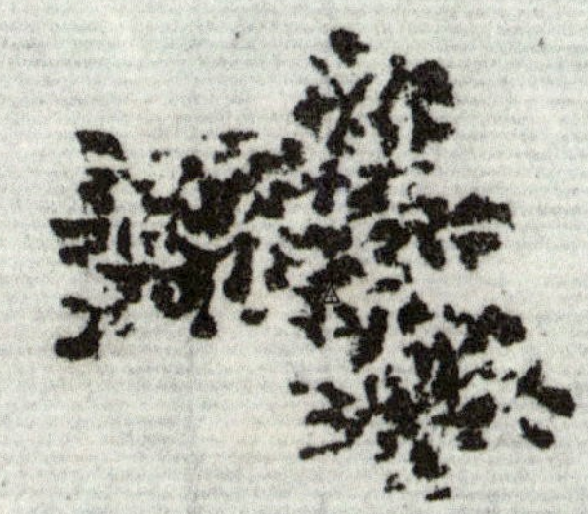

一字點

仰頭點

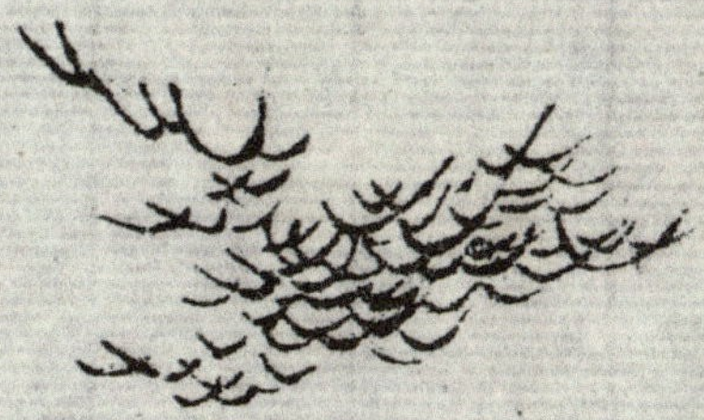

扁筆點

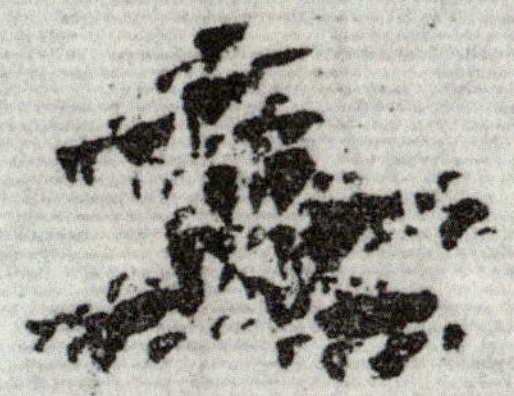

偏筆點

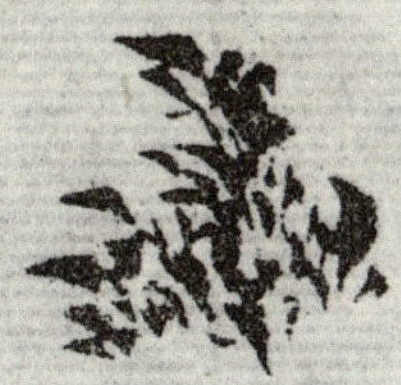

小攢聚點

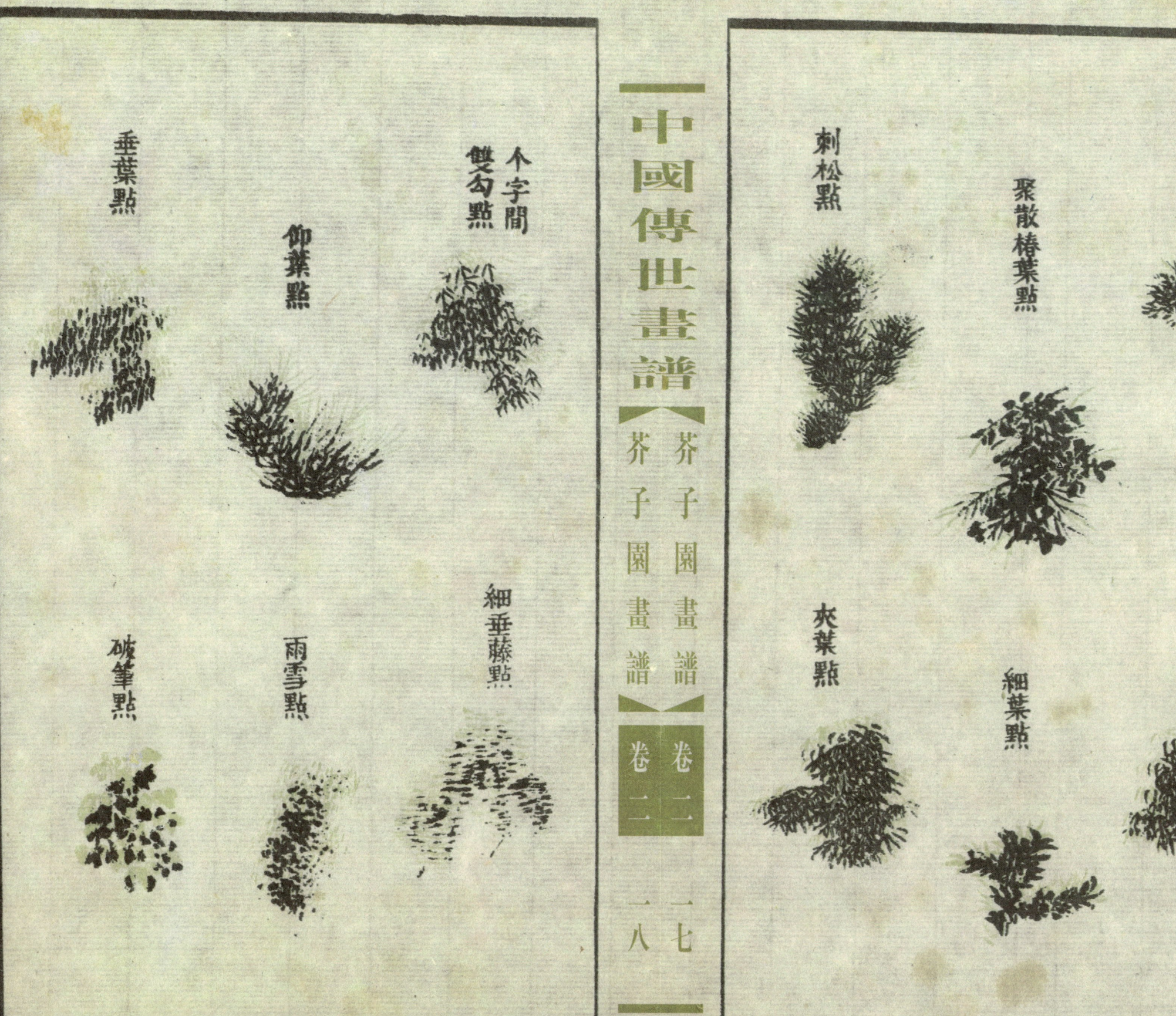

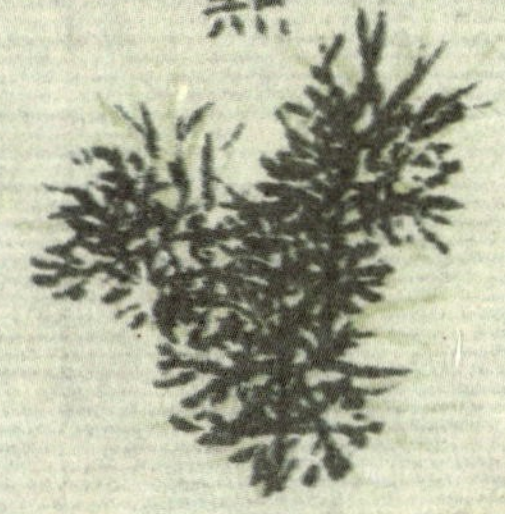

聚散椿葉點

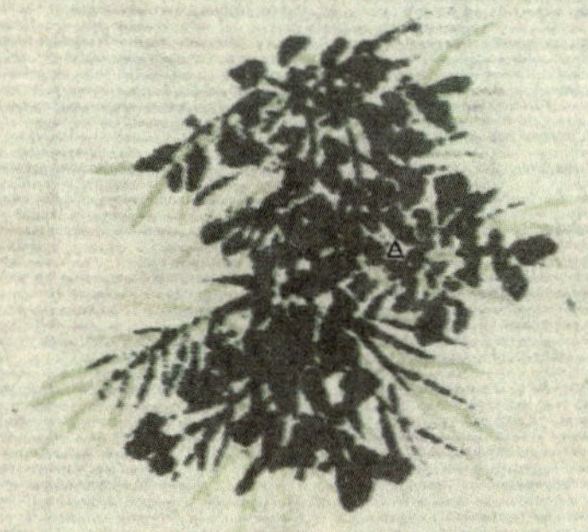

刺松點

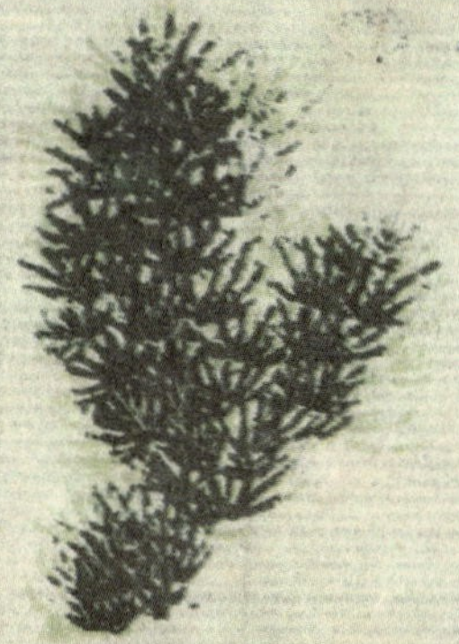

杉葉點

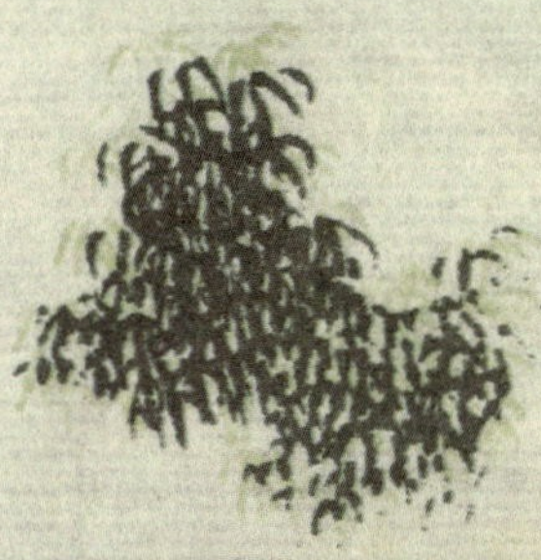

細葉點

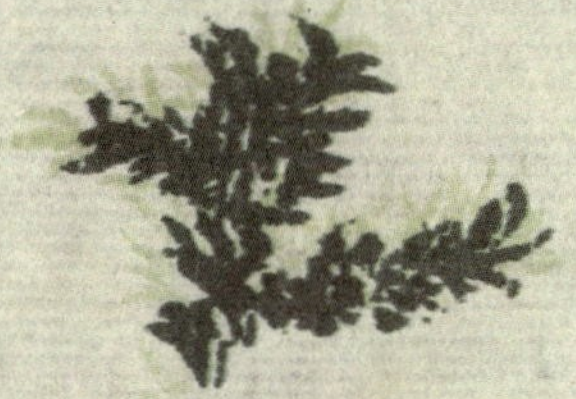

夾葉點

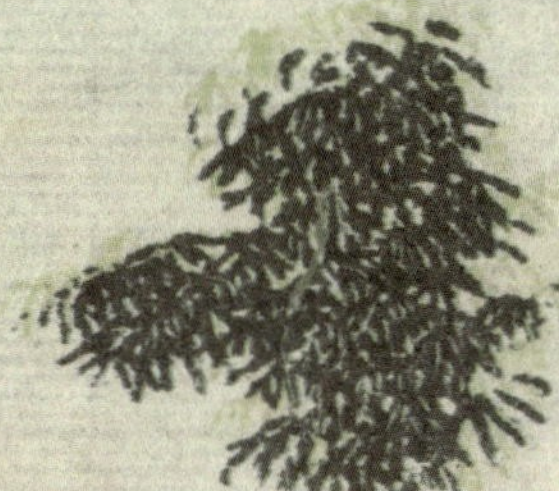



个字間雙勾點

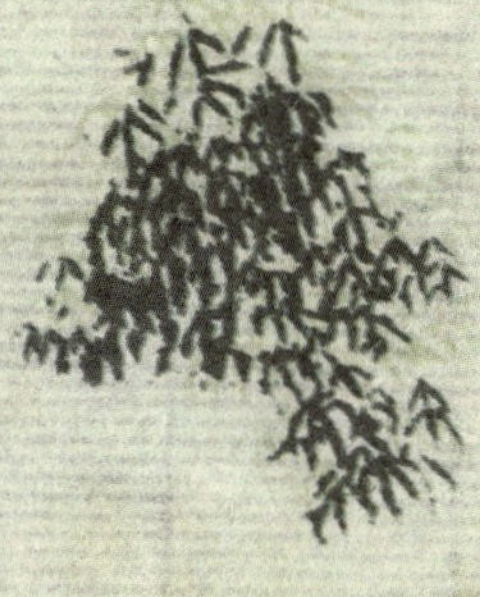

仰葉點

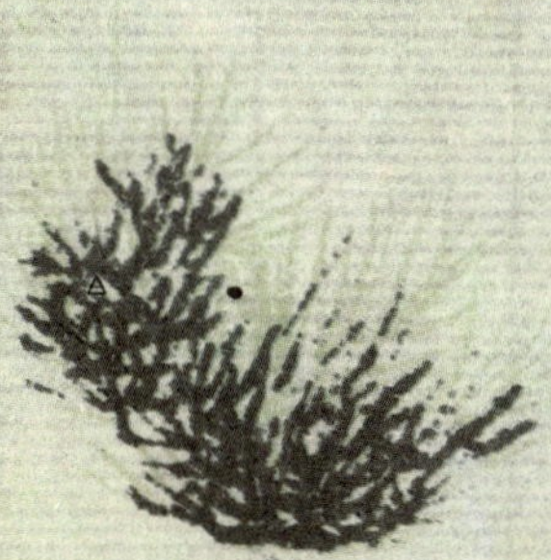

垂葉點

細垂藤點

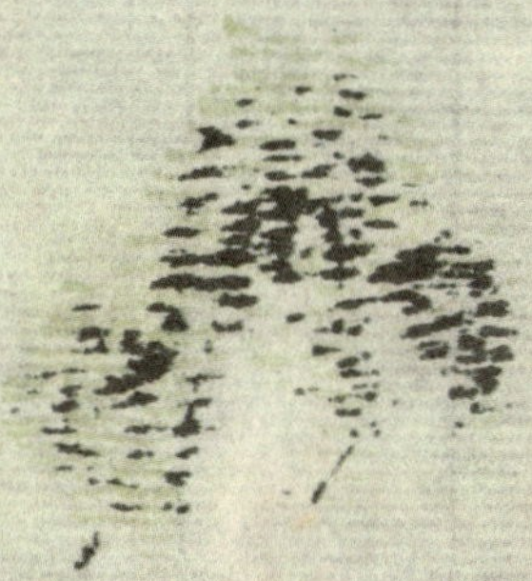

雨雪點

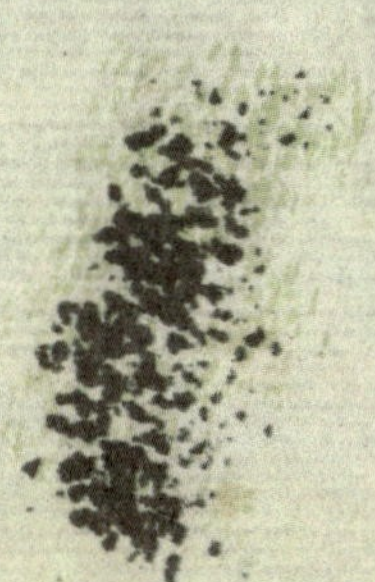

破筆點

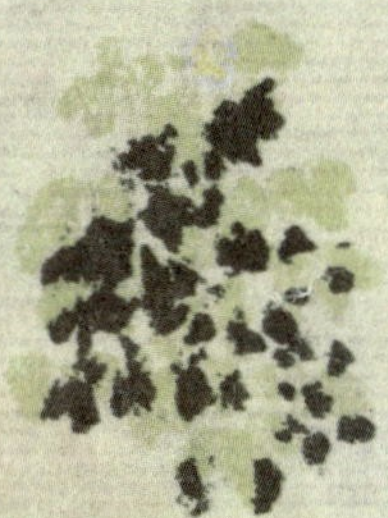

## 夾葉法

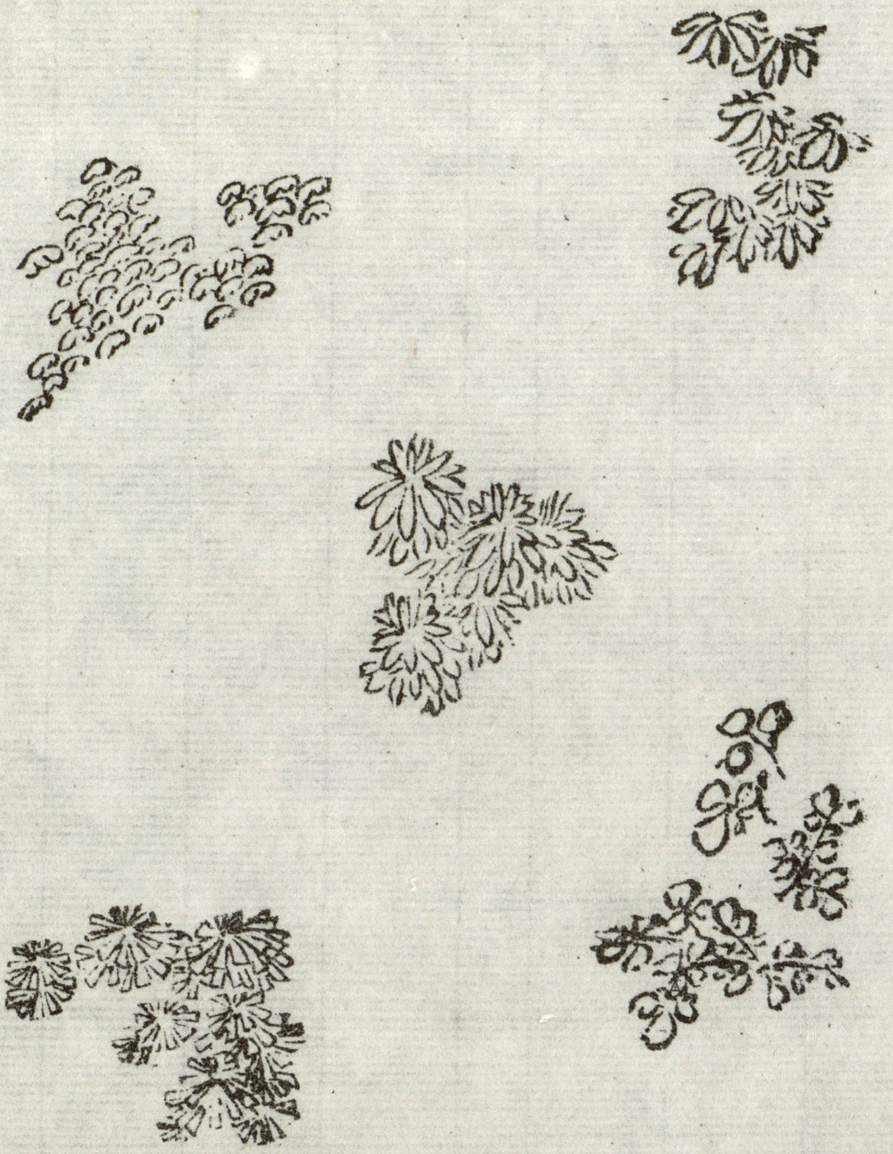

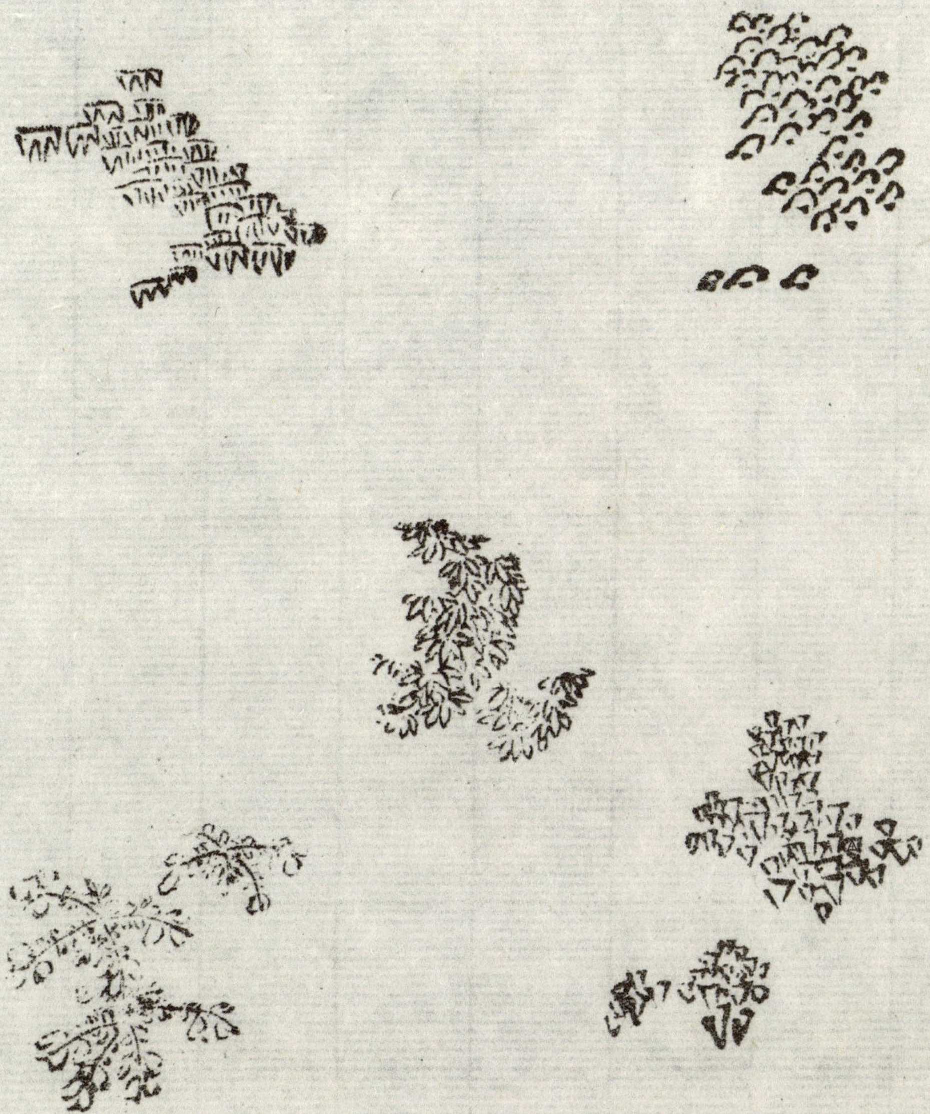

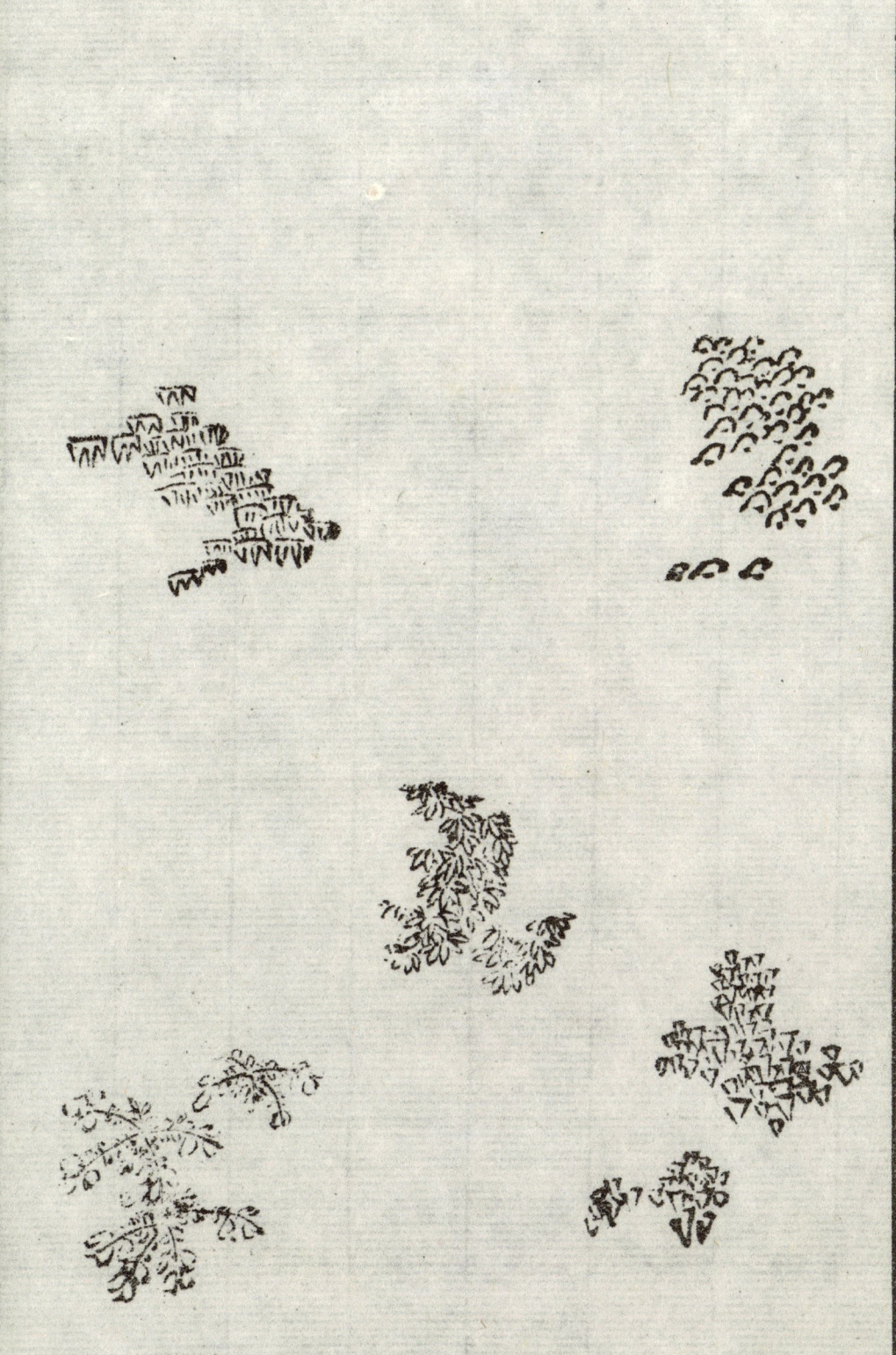

## 夾葉着色法

此葉宜先着草綠然後塡石綠

此葉先着花青後塡石青

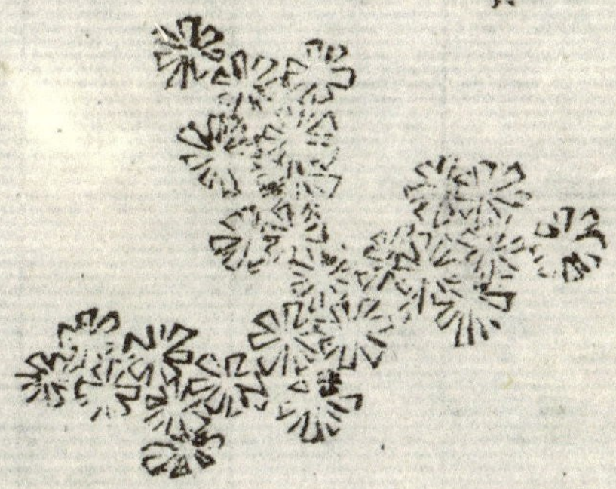

此葉塡石青石綠俱可

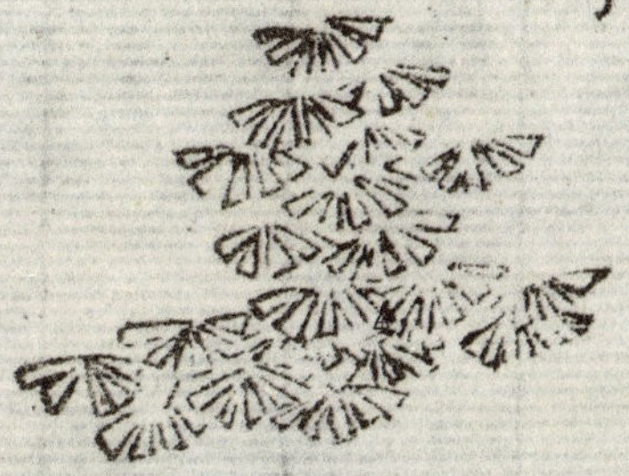

此葉先着黃色草綠後塡石綠標

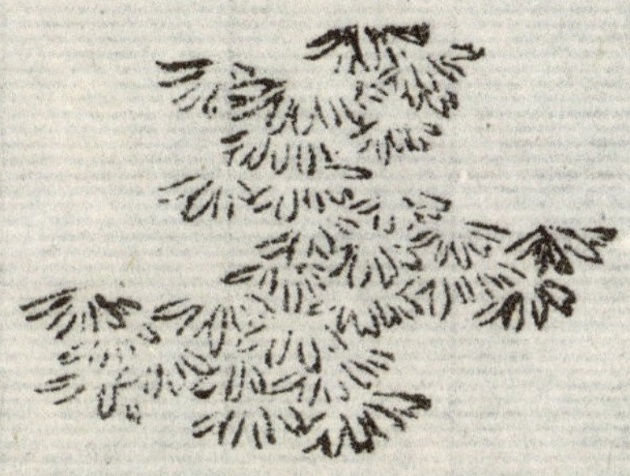



## 夾葉着色法

此葉着黃綠色或嫩黃色或塡綠襯綠俱可

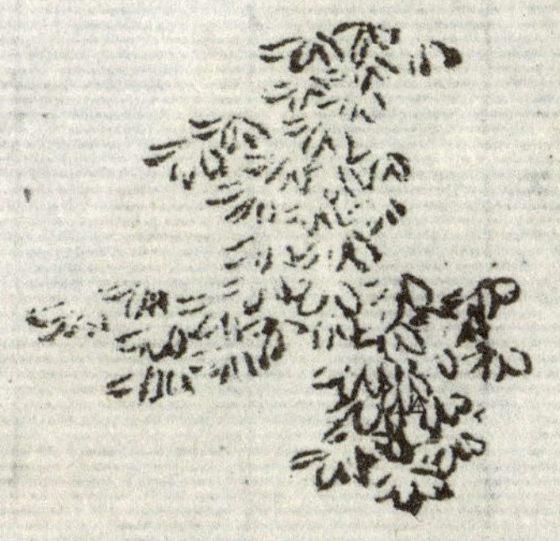

此葉宜上三瓣着胭脂下瓣着濃綠或塡石綠或反襯石綠俱可上三尖用藤黃亦可像娑羅樹及椿栗諸葉

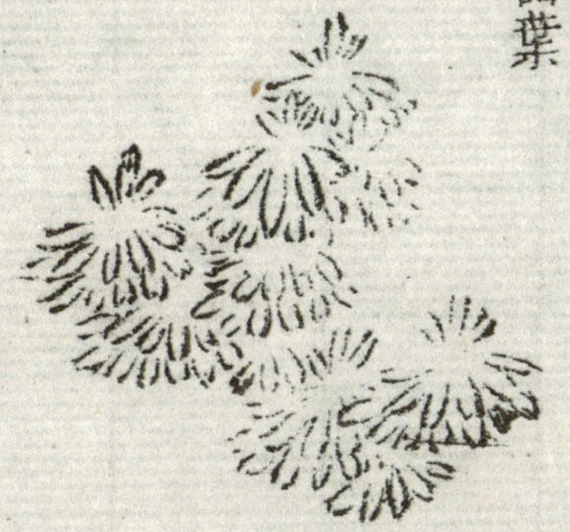

此葉宜着赭黃色或襯黃者紅葉或硃或脂亦可

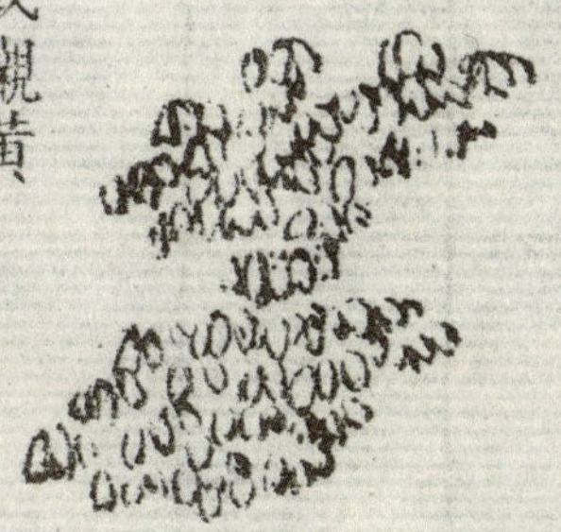

此葉或青或綠或襯青綠俱可

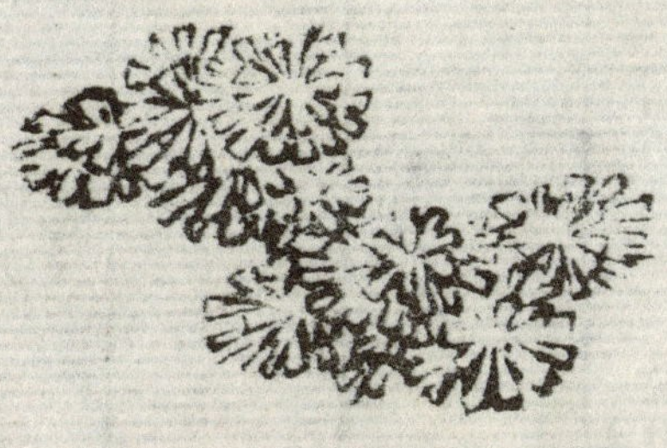

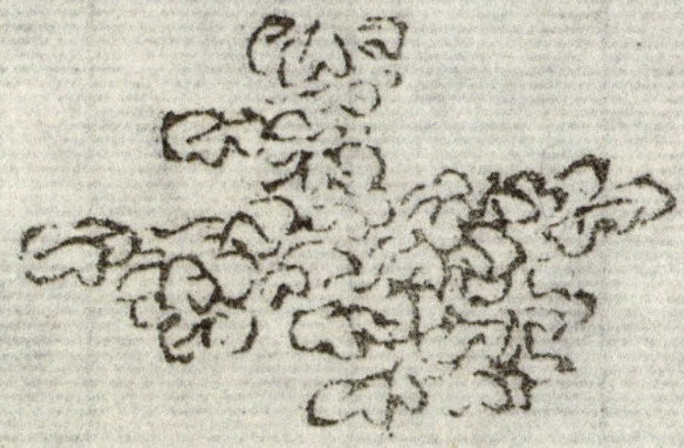

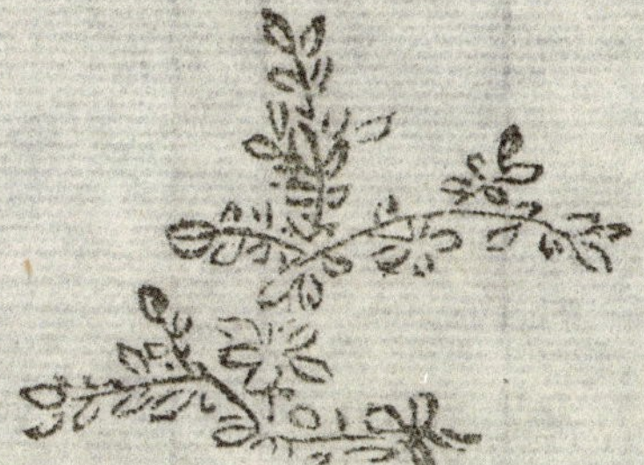


芥子園畫譜 卷二


# 夾葉着色法

此葉宜着赭石色或紅葉

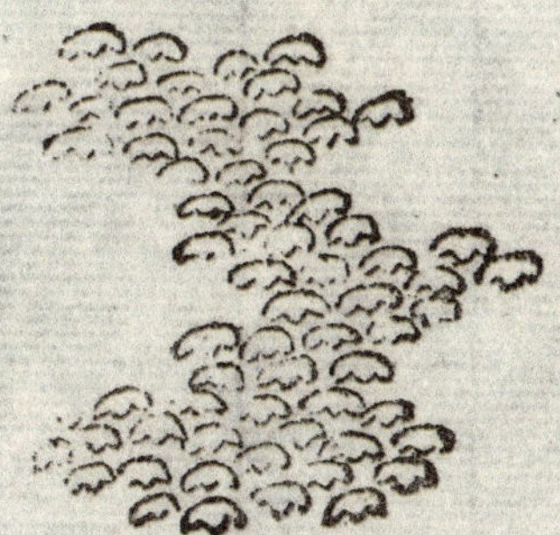

此葉宜着嫩綠或嫩黄

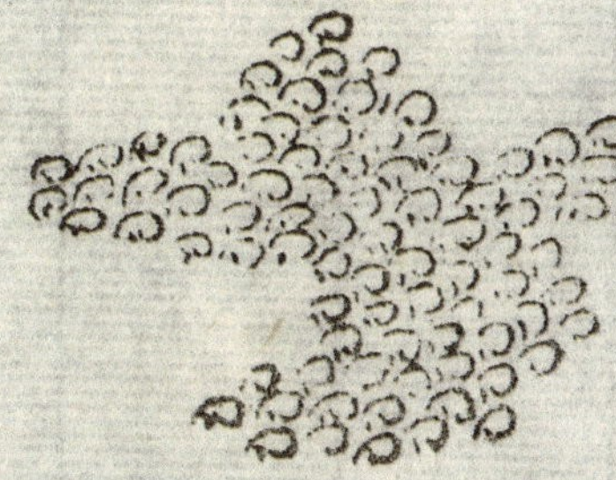

此葉宜着赭黄色

此葉宜着胭脂少入藤黄爲妙

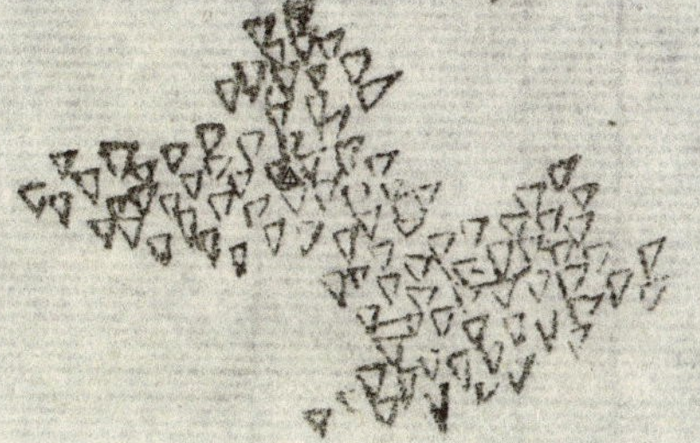

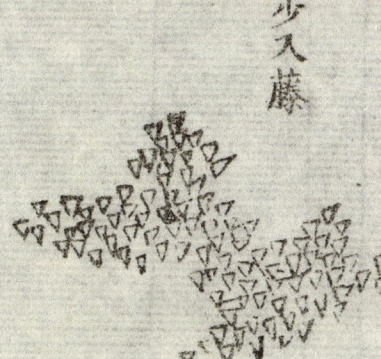

## 夾葉着色法

此葉宜着嫩綠或赭黄色

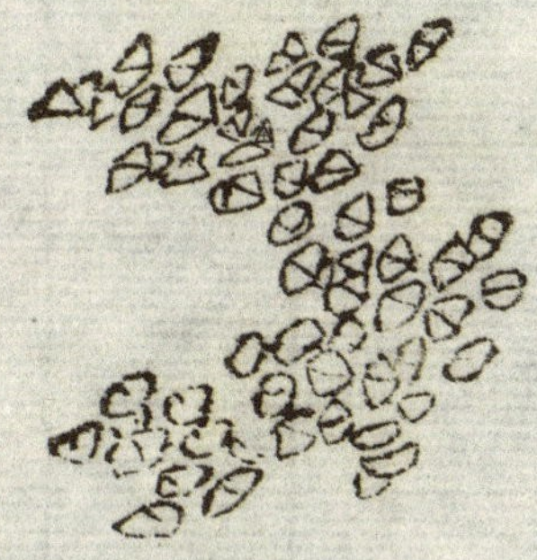

此葉着青綠色俱可

此楓葉宜秋景內或朱或胭俱可

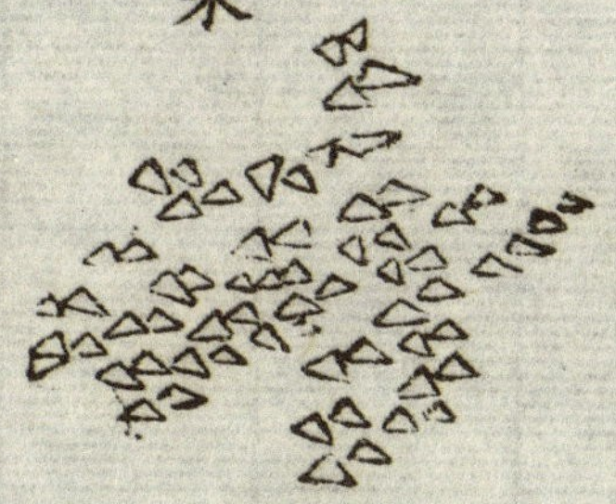

此葉黄綠色俱可

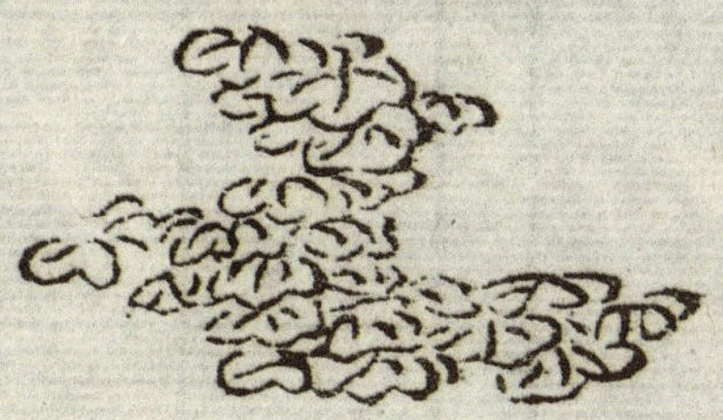



纏樹藤法

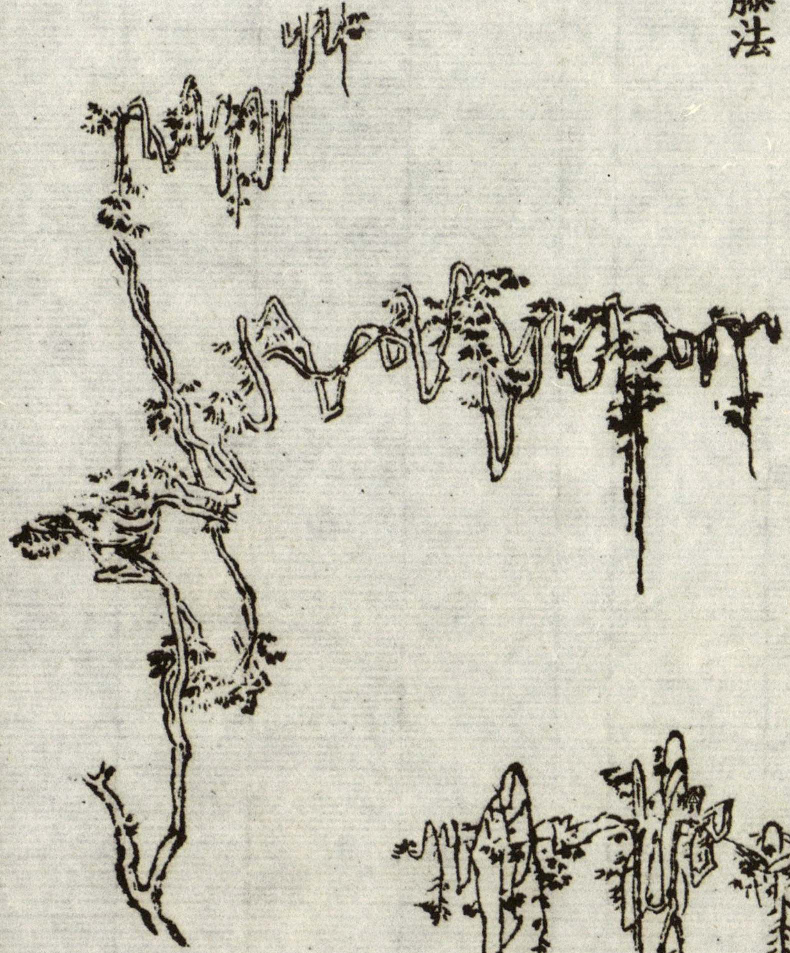

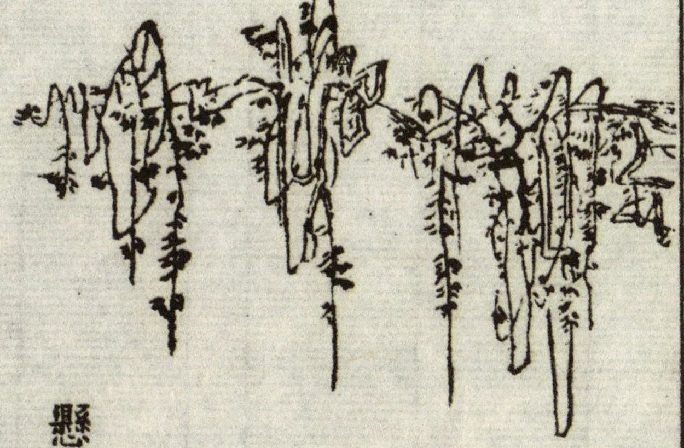

懸崖藤法

范寬樹法

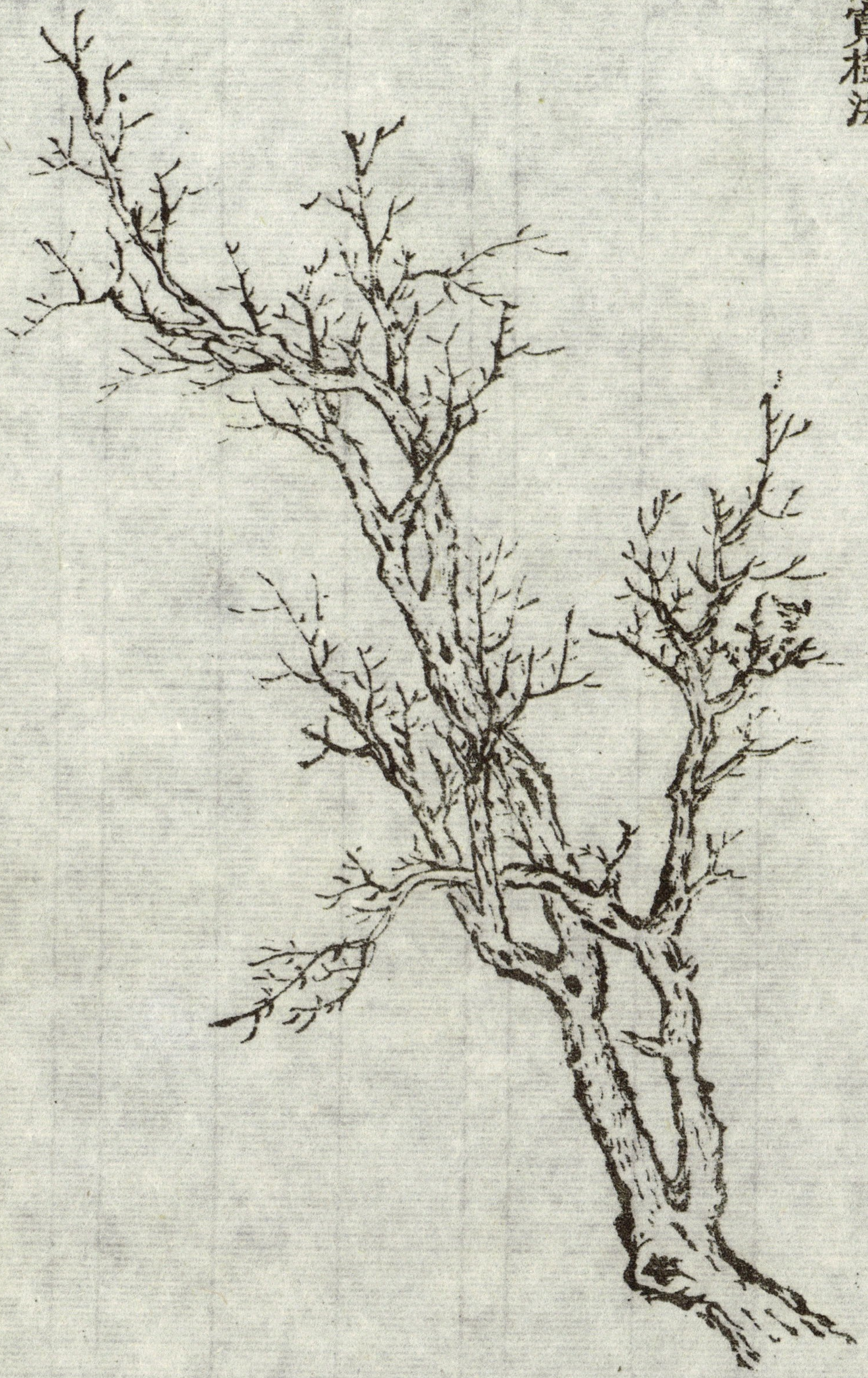



郭熙樹法

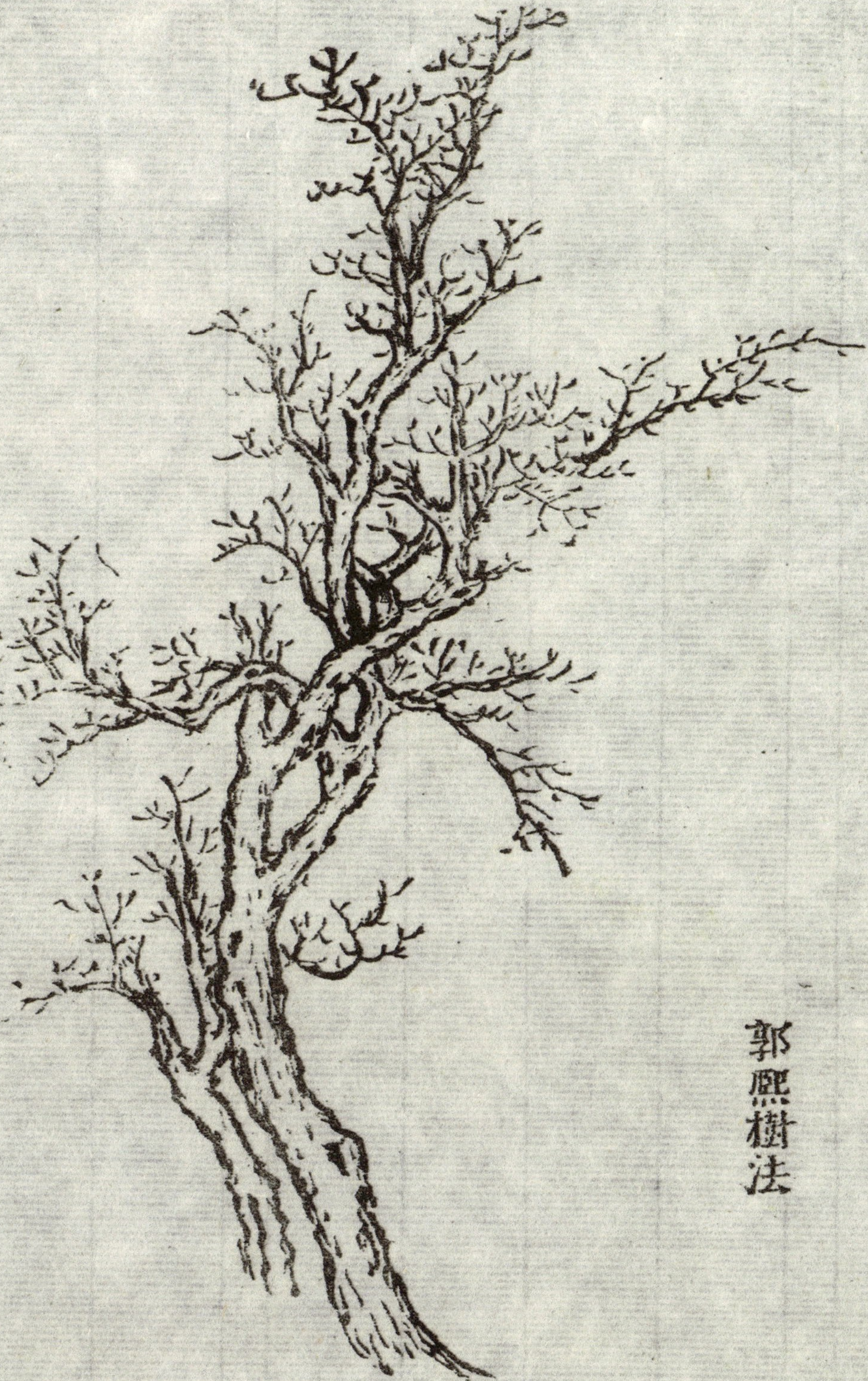

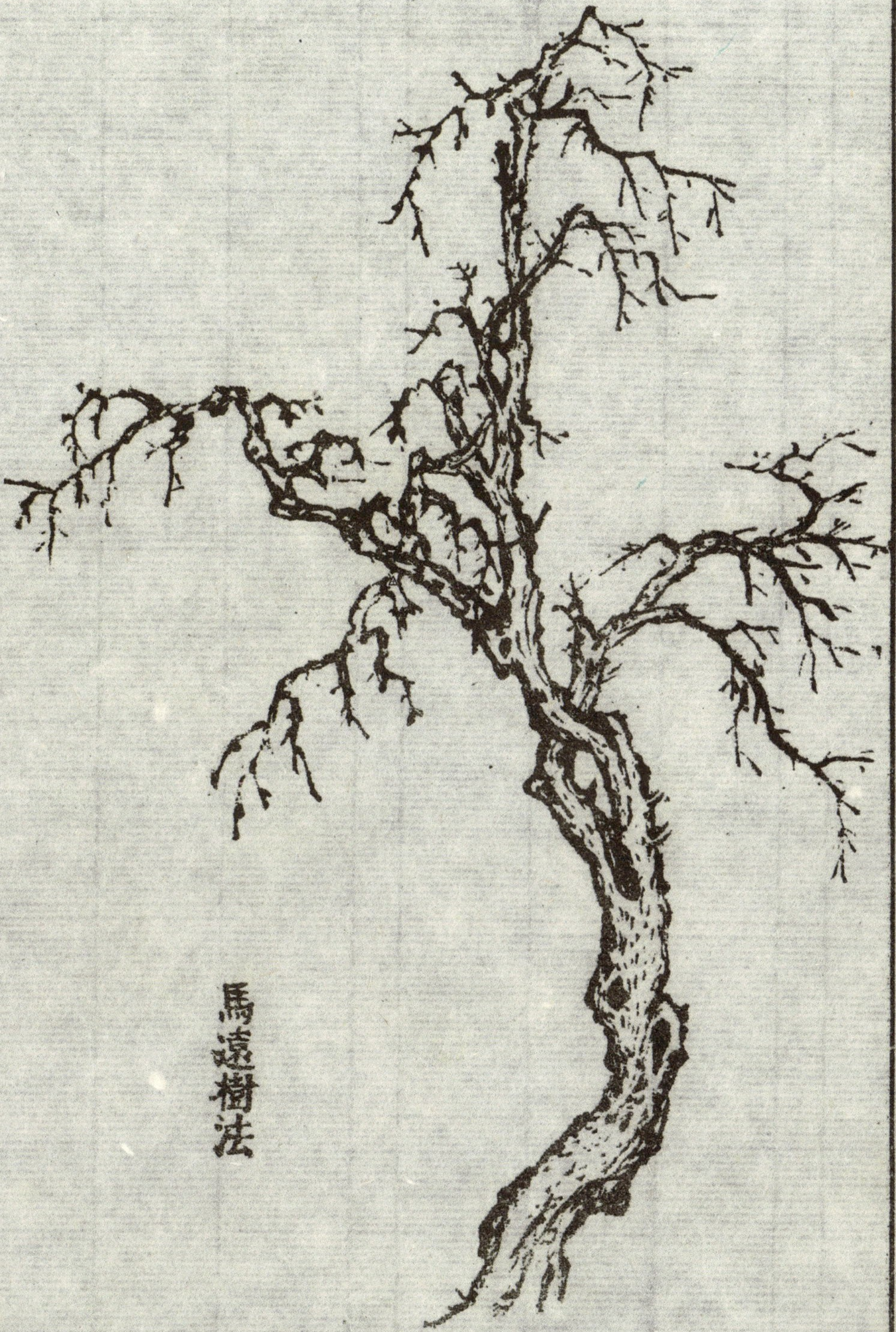

馬遠樹法





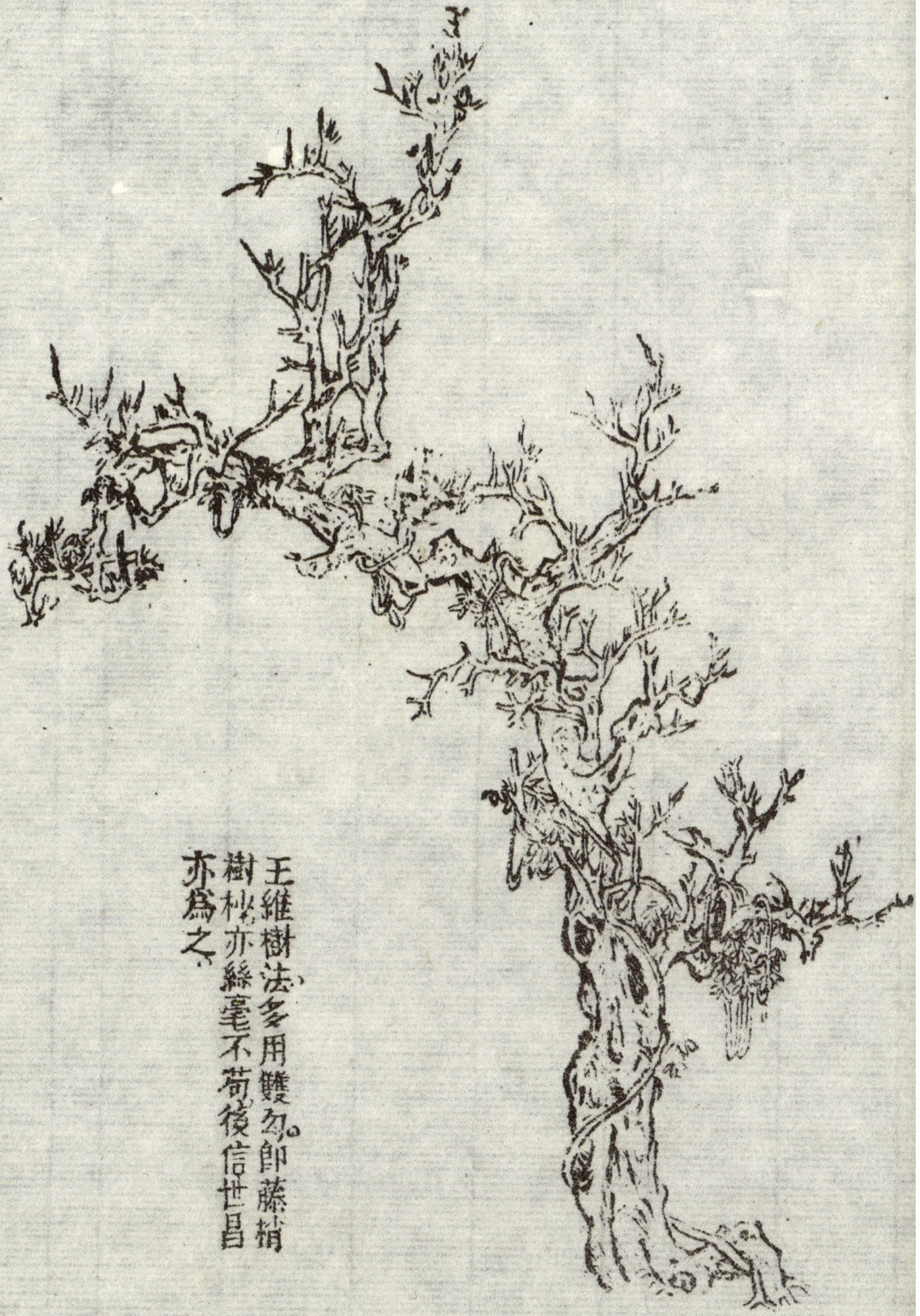

王維樹法多用雙勾卽藤梢樹杪亦絲毫不苟後信世昌亦爲之

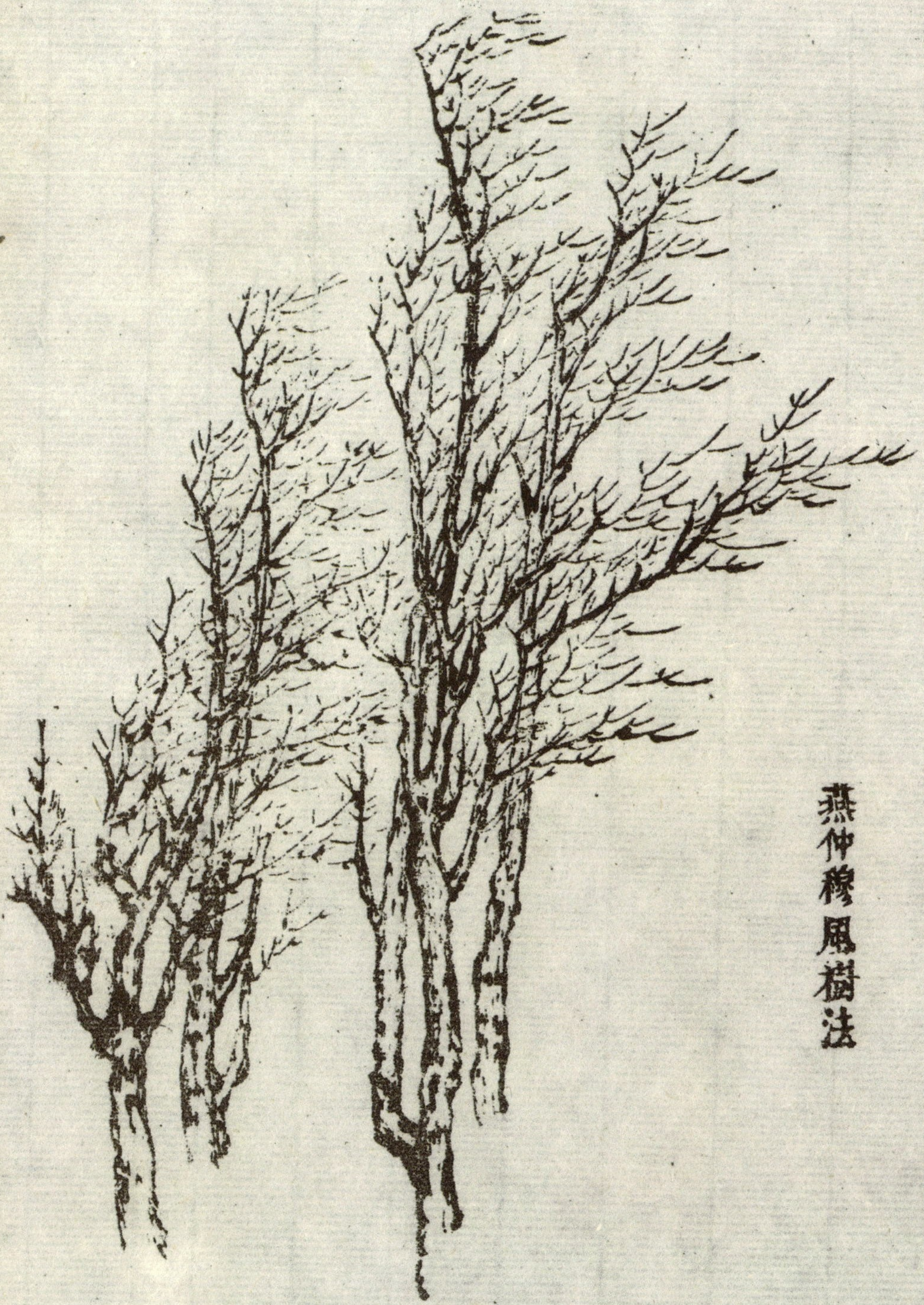

燕仲穆風樹法



芥子園畫譜
卷二


蕭照枯樹法

柯九思樹法

曹雲西樹法

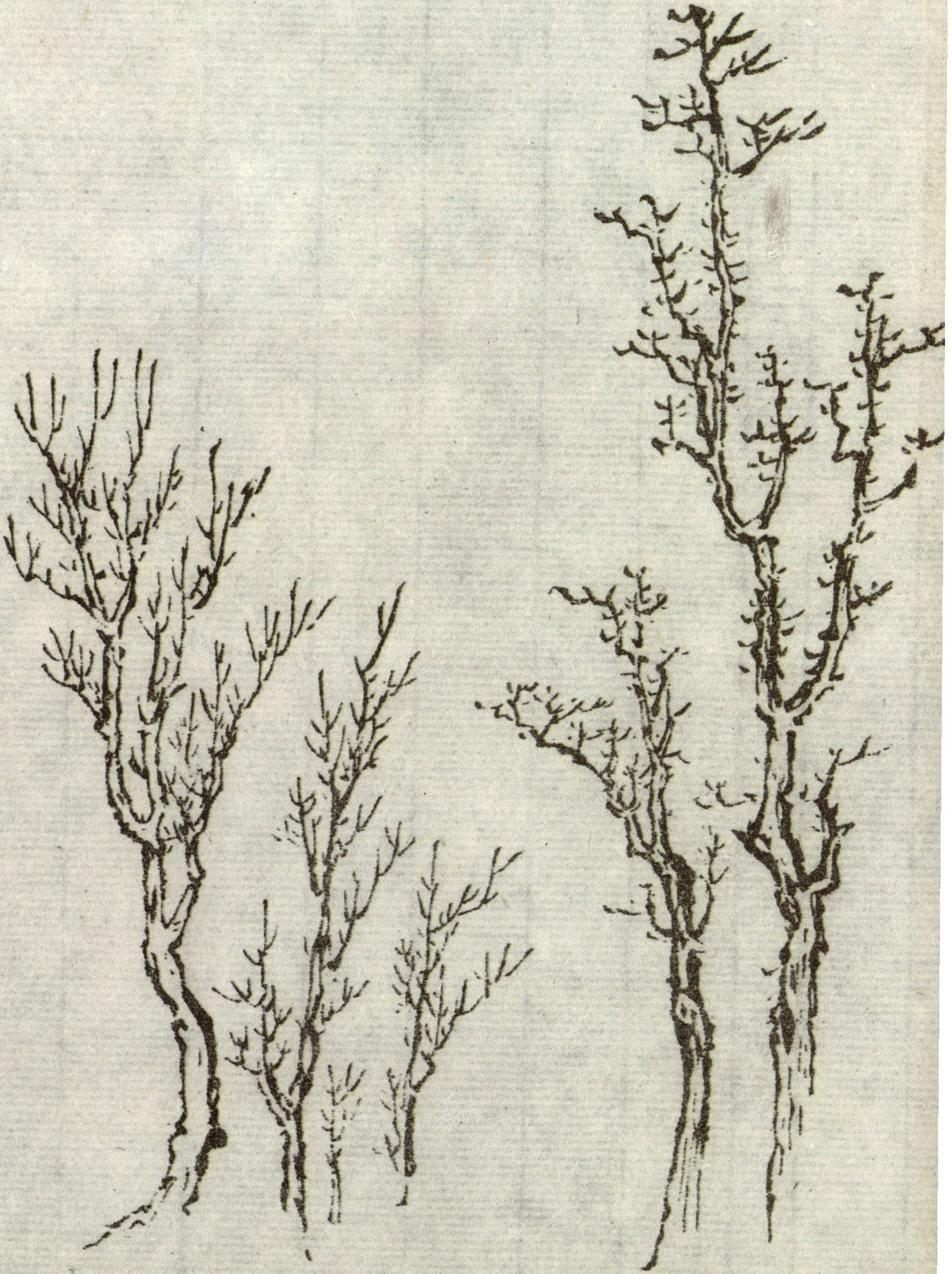

倪雲林樹法

李唐樹法

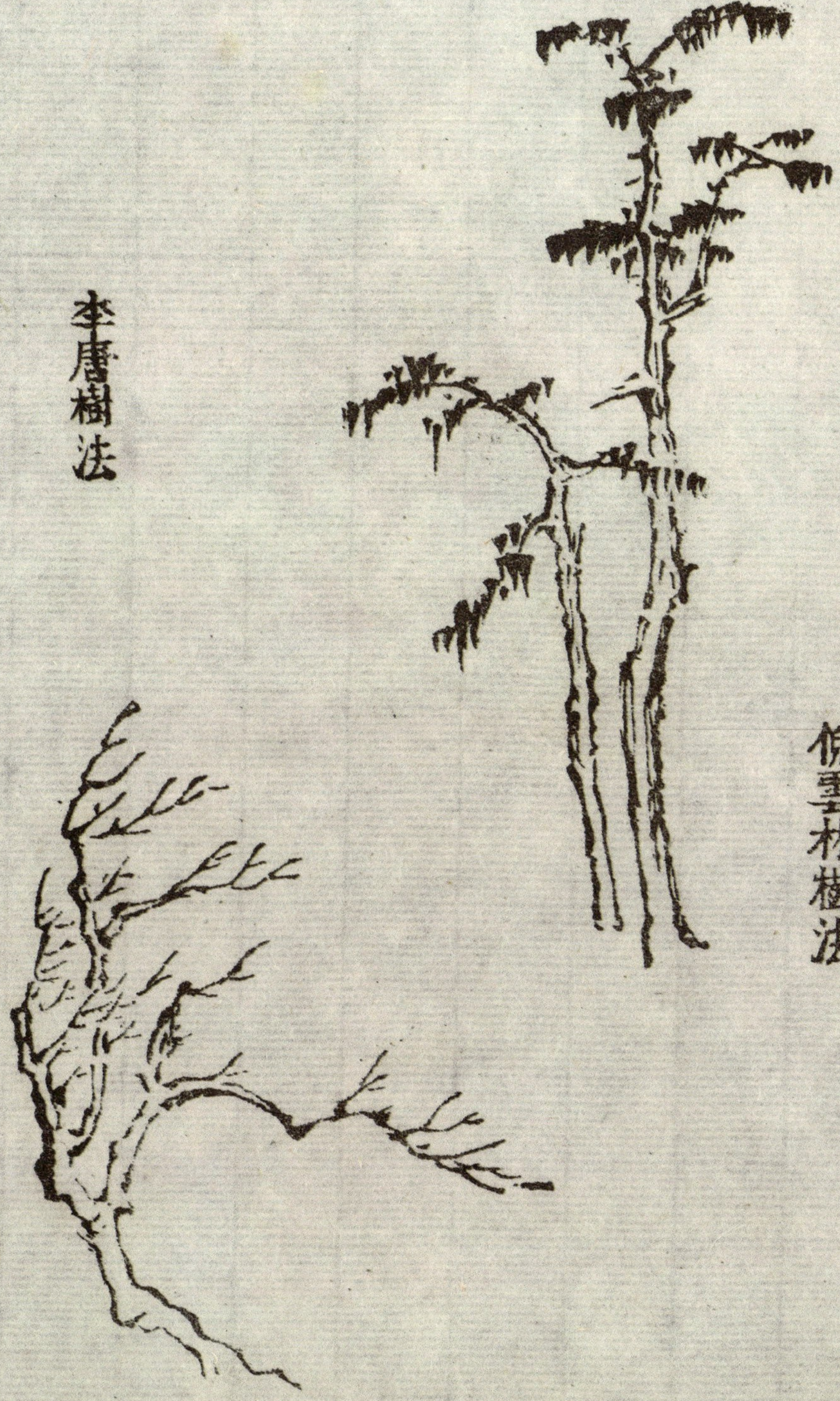

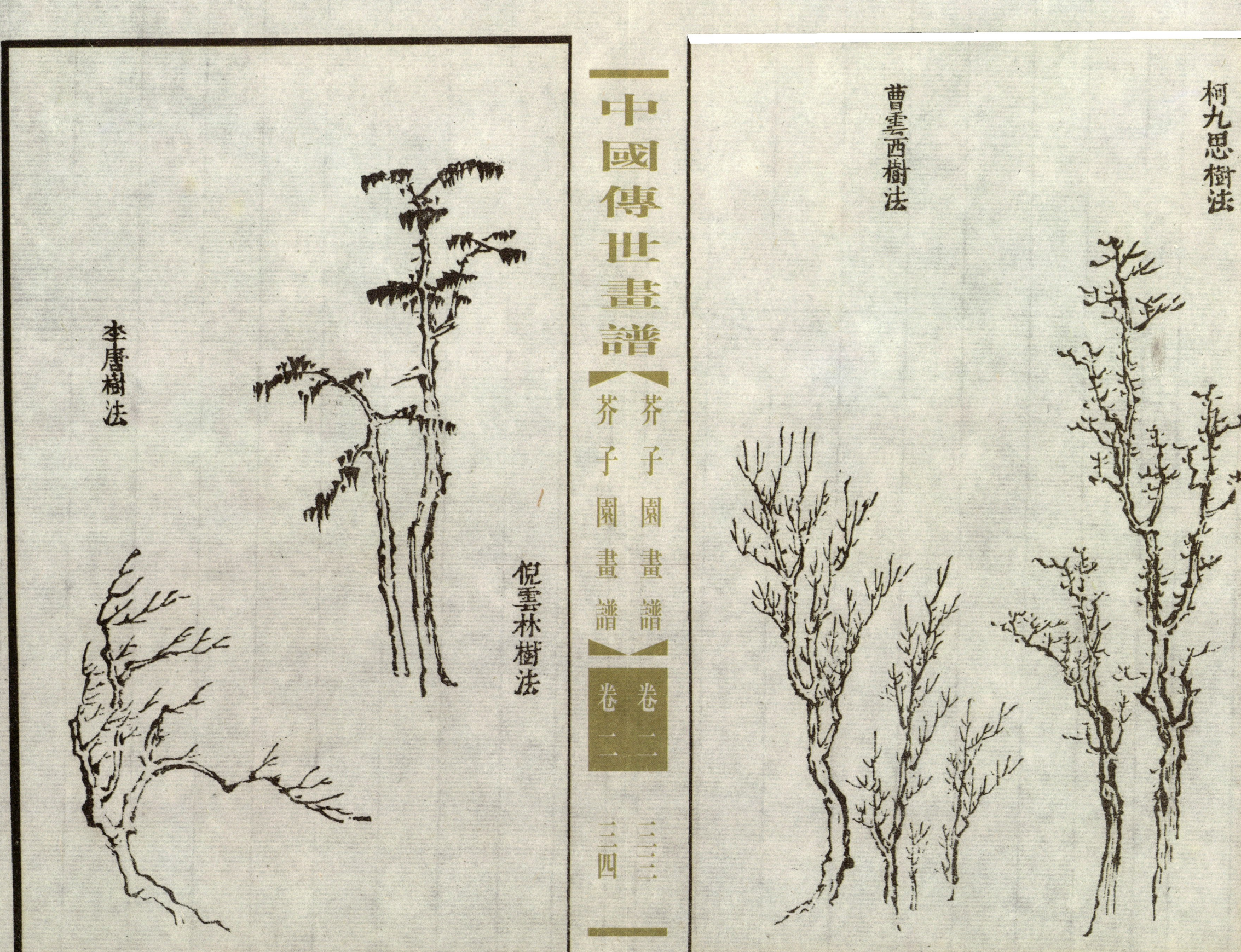

吳仲圭樹法沈石田嘗摹之

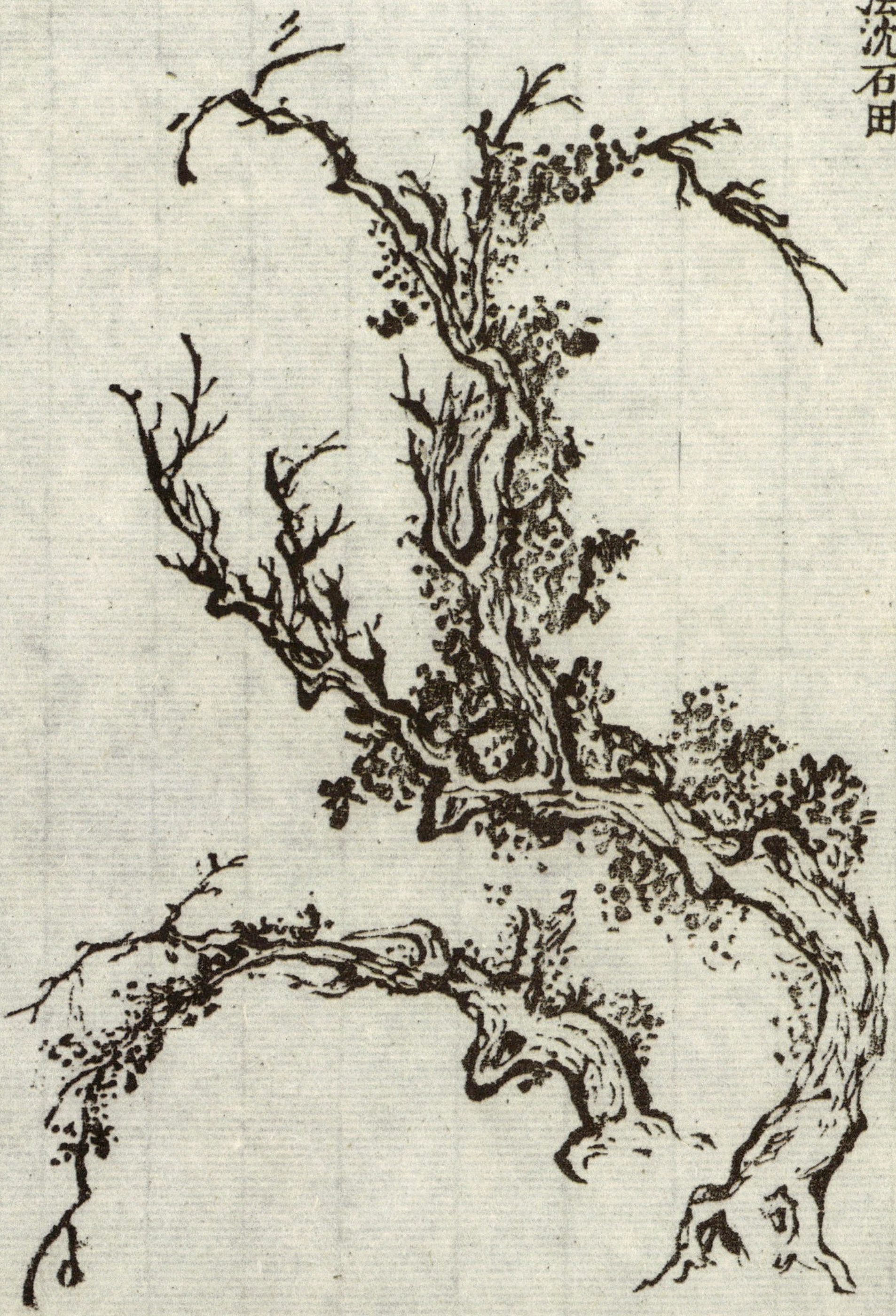



黃子久樹法雲林亦寫之

黄子久樹法

樹固要轉而枝不可繁枝頭要斂不可放樹頭要放不可緊

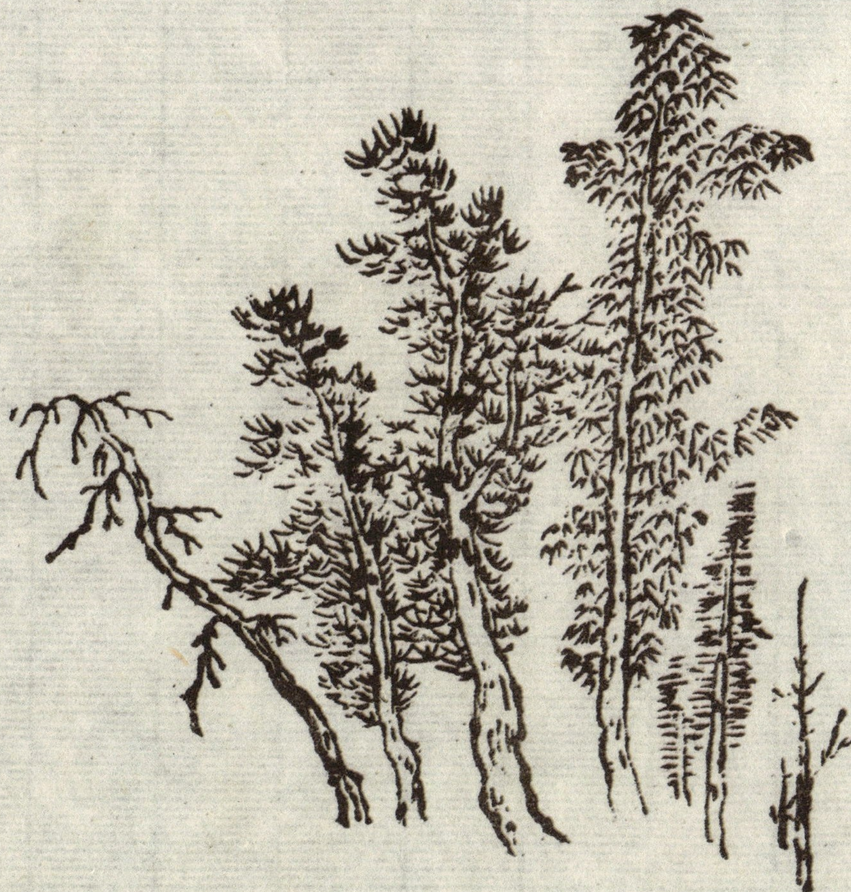

芥子園畫譜
卷二


梅花道人樹法

要鬱森其妙處在樹頭參差一出一入一肥一瘦以木炭畫圈隨圈點之

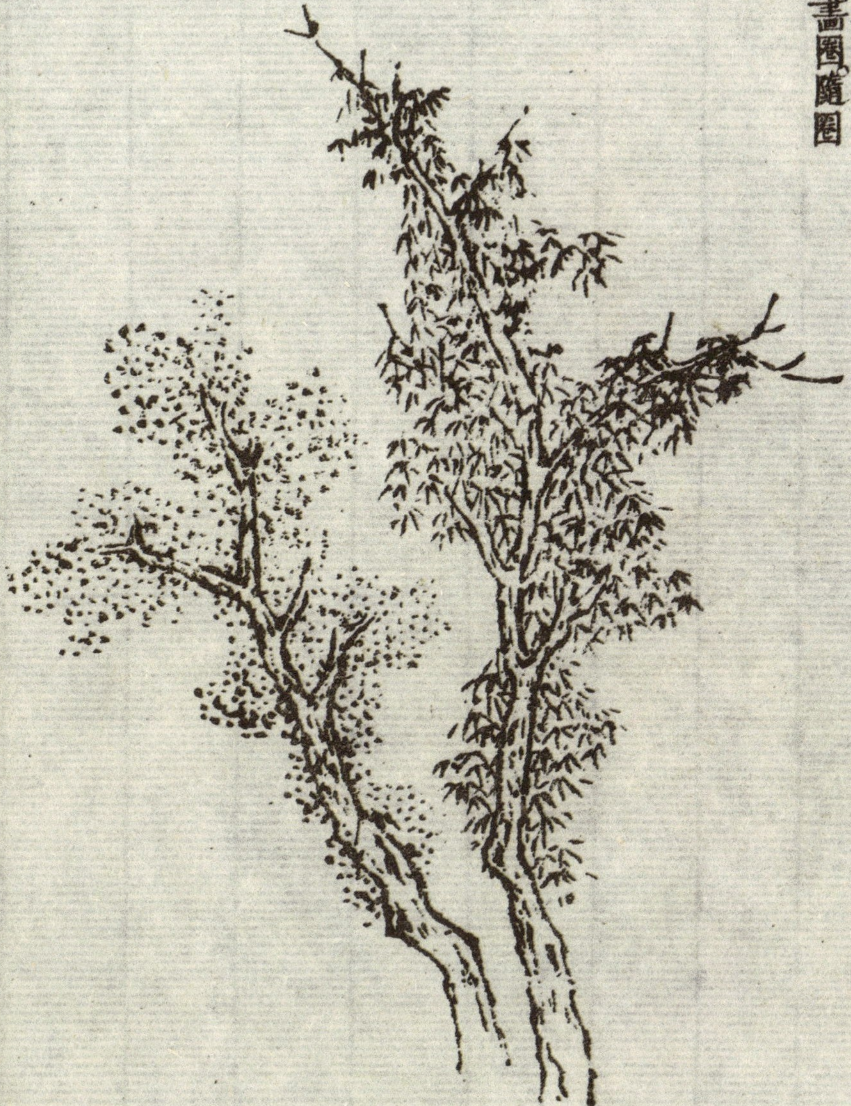

雜樹總法

既將諸家之樹。名立標準。以見體裁矣。然體裁既知。用卽宜講。體與用雖未可分而爲入門者設。不得不姑爲區別。如五味具在。任人調和。善庖者。鹹淡得中。畫成異味。又如卒伍四調。靜聽旗鼓。善將者。指揮如意。多多益善。有配合。有趨避。有逆插取勢。有順顧生姿。荆關董巨諸人。既已各具爐冶鎔化古人之筆。今之學者。又當以我之爐冶。鎔化荆關董巨之筆。方見運用之妙。

范寬春山雜樹多以青綠爲之

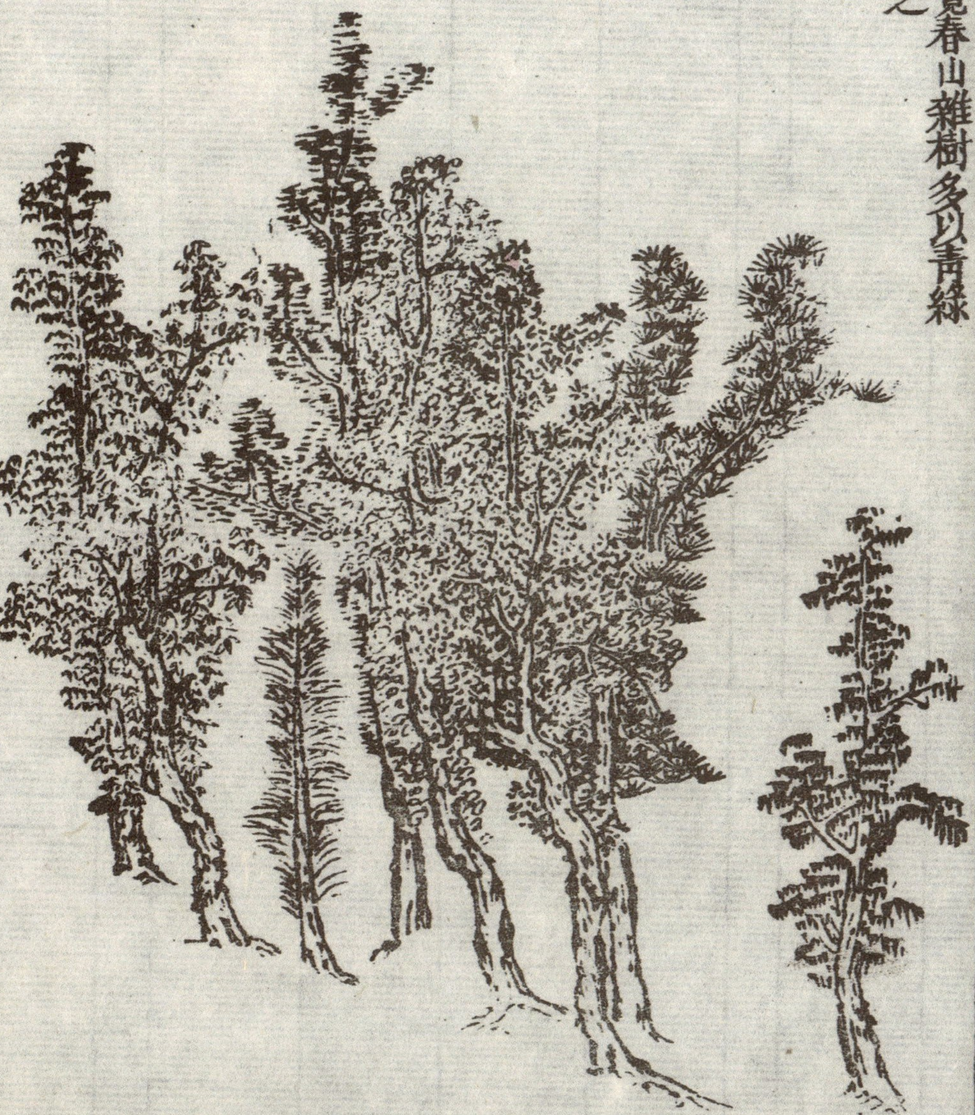



盛子昭雜樹畫法

倪迂雜樹畫法

世之倣雲林者。多作頂門棍繫馬椿。輒詡詡自負。不知雲林於此道。深入堂奧。下筆有一往深邃之氣。試觀雲林所作獅子林圖。樹法大備。便知非僅以一樹一石。遂足睥睨千古者。故此幅更取其工樹立準。以見世所倣摹不過雲林之一枝半節非全體也

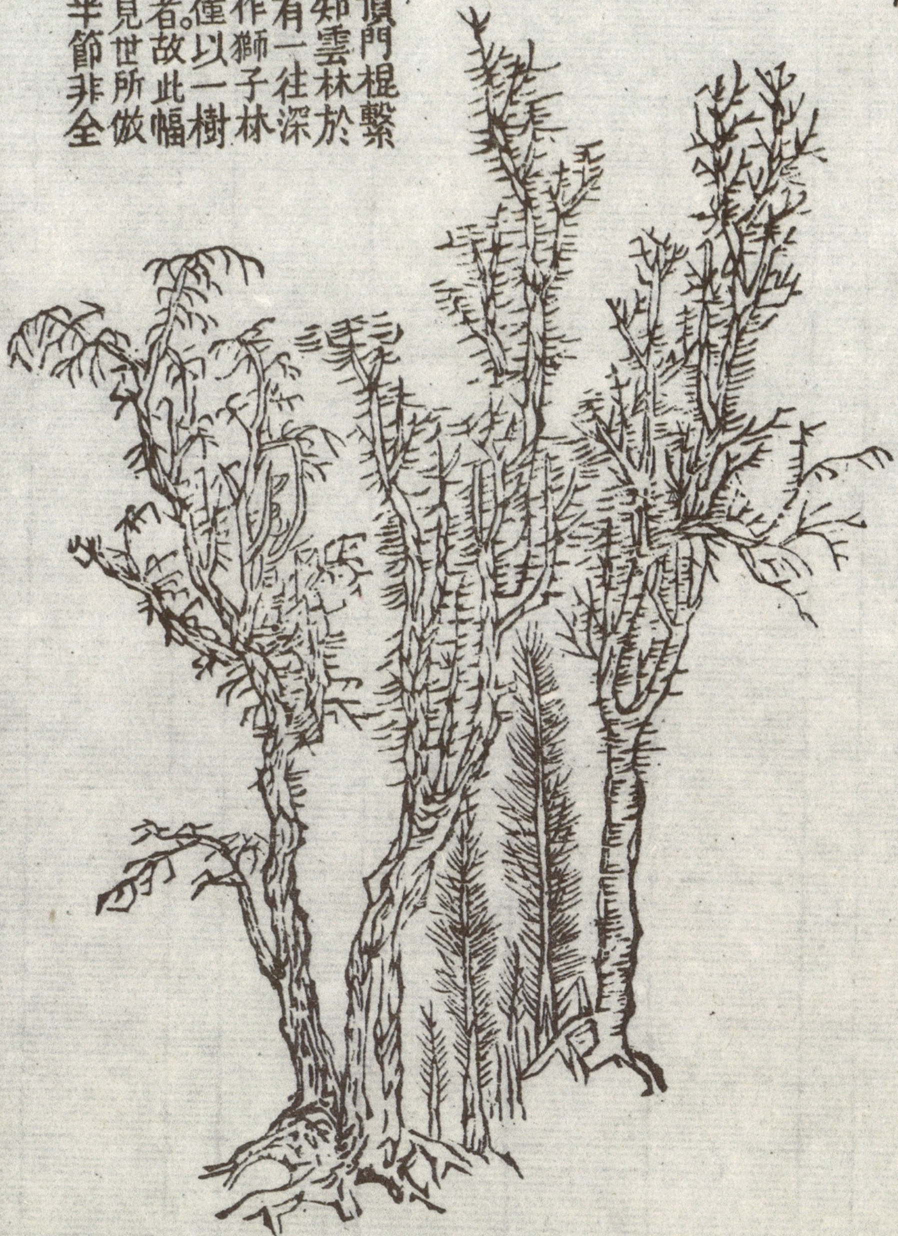



芥子園畫譜
卷二
四二

劉松年雜樹畫法

郭熙雜樹畫法

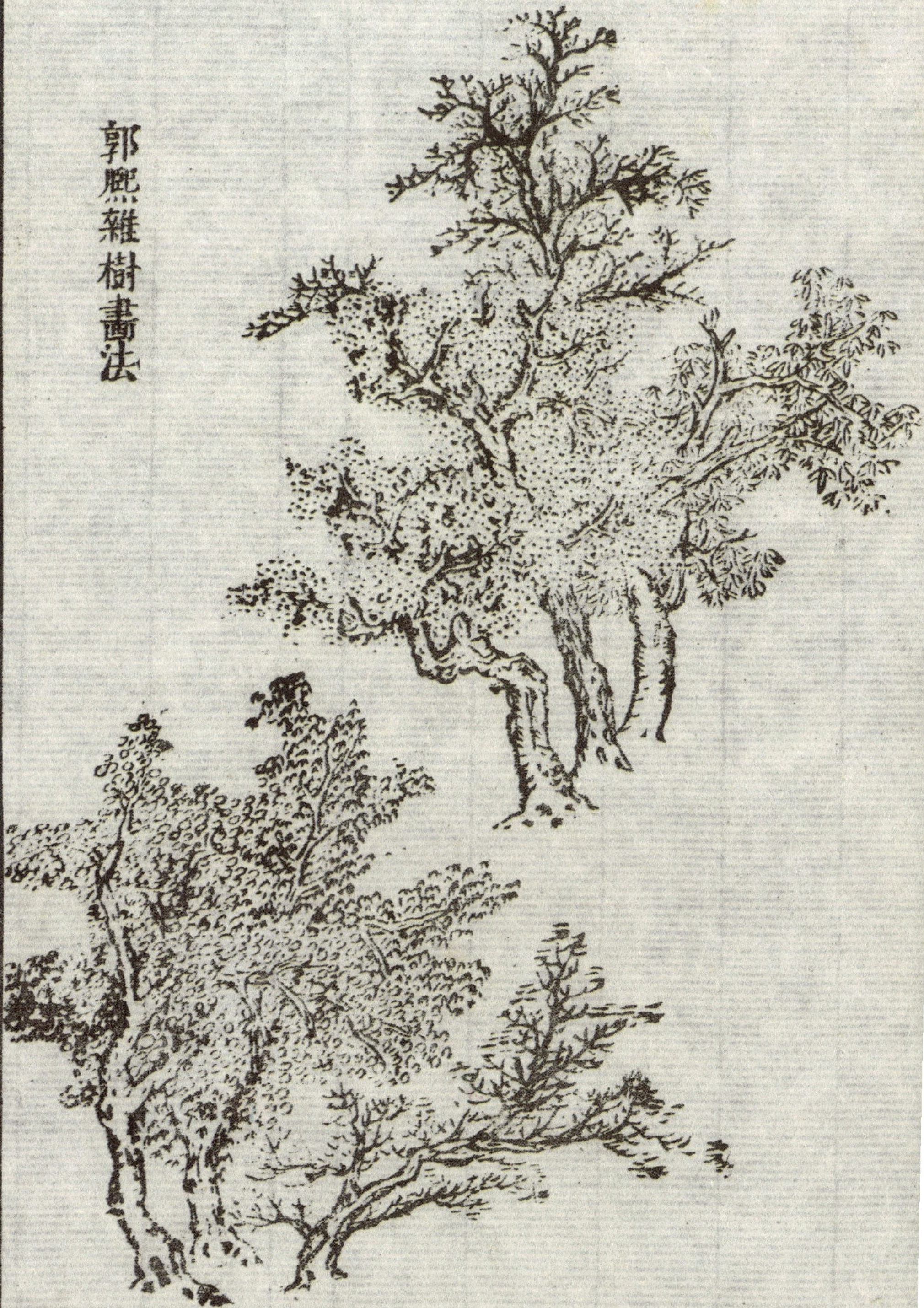

中國傳世畫譜

芥子園畫譜 卷二 四三

芥子園畫譜 卷二 四四

李唐懸崖雜樹法

荆浩關仝
雜樹畫法

夏珪雜樹法
李成亦爲之

米樹

既爲米畫寻得祖禰矣故郎次米於北苑之後以見兩公首尾相連難分是一是二然此法最要淋漓有致濃淡得宜近程青溪先生力爲米家洗冤謂吳松濫惡一味糢糊如老年眼霧中花者帶累南宮罪過不小故此法不惜層層烘染以度金針。所謂有墨有筆是也有筆無墨則乾焦有墨無筆則滃俗。

小米樹法

二米畫柳法

大米樹法

此関仝法也小米用於雲烟出沒之內殊覺青出于藍沈石田亦時爲之

## 雲林樹法

雲林多用側筆。有輕有重不得用圓筆。其佳處在筆法秀峭耳。宋人院體皆用圓皴。北苑獨稍縱故爲一小變雲林子久叔明皆祖北苑故皆有側筆。

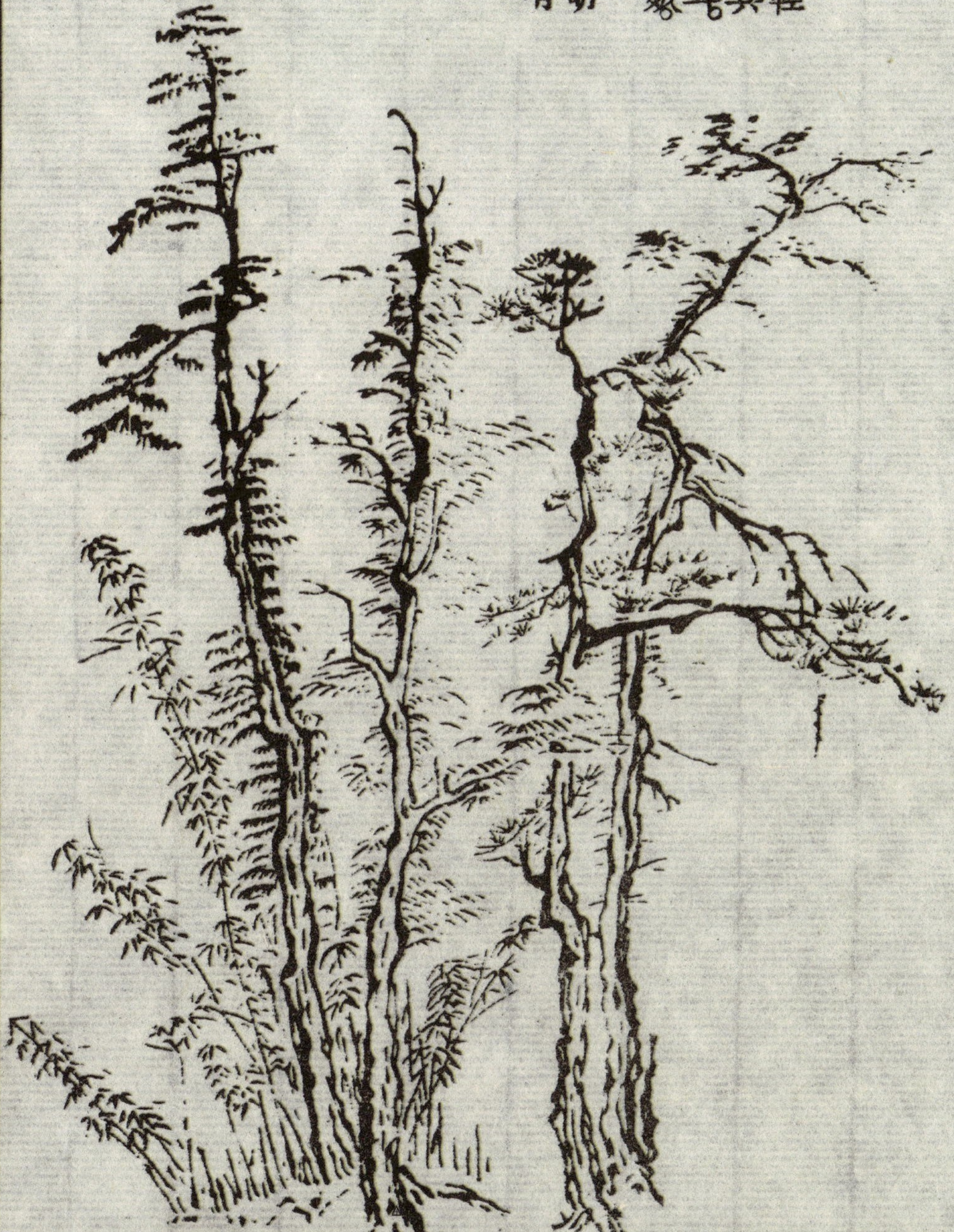



## 雲林小樹法

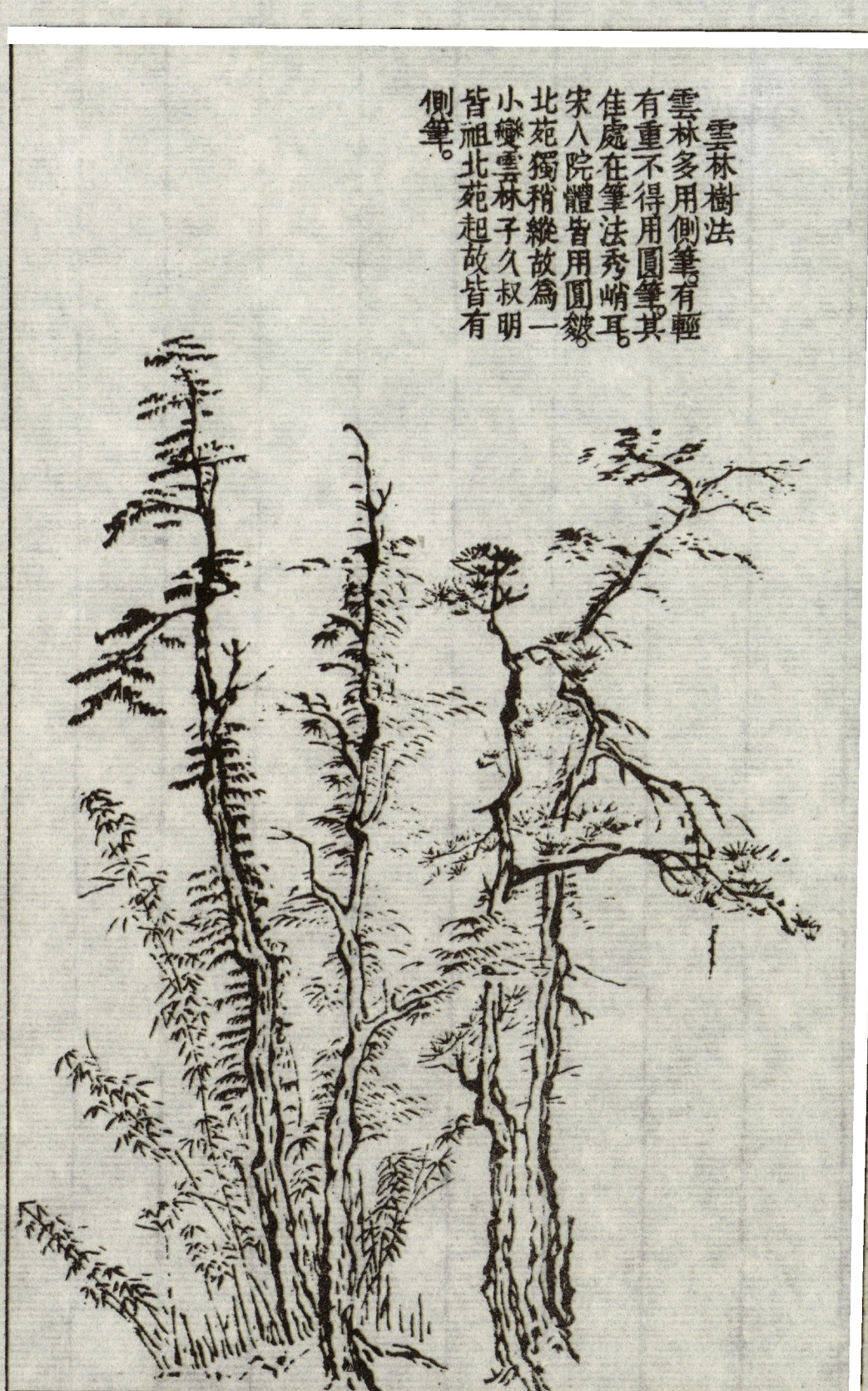

## 北苑遠樹

北苑山頭多作小樹。然不先作樹枝大根。但以筆點成。畫山水用畫樹之皴。此秘法也。○北苑畫雜樹。但遠望之似樹。其寔憑點綴以成形者。即米氏落茄之源委。須淋漓約畧。簡于枝柯而繁于形影。染以淡墨。滃以微烟。如文君之眉與黛色互相發合。然董亦有竟不作小樹者。秋山行旅是也。

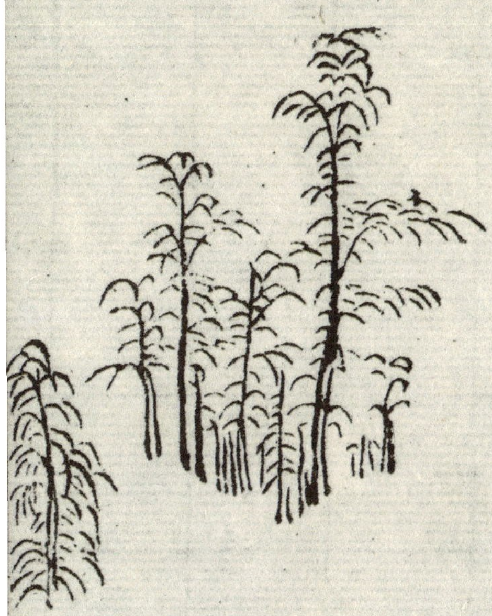

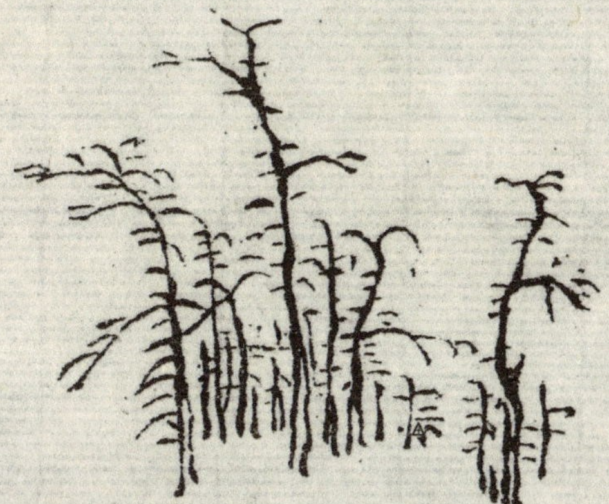

扁點極遠小樹
宜用淡墨點於
山凹處或於遠
山脚下染以淡
緑襯貼烟雲

圓點極遠小樹
用法如前若以
淡墨反染便堪
爲雪景中遠樹

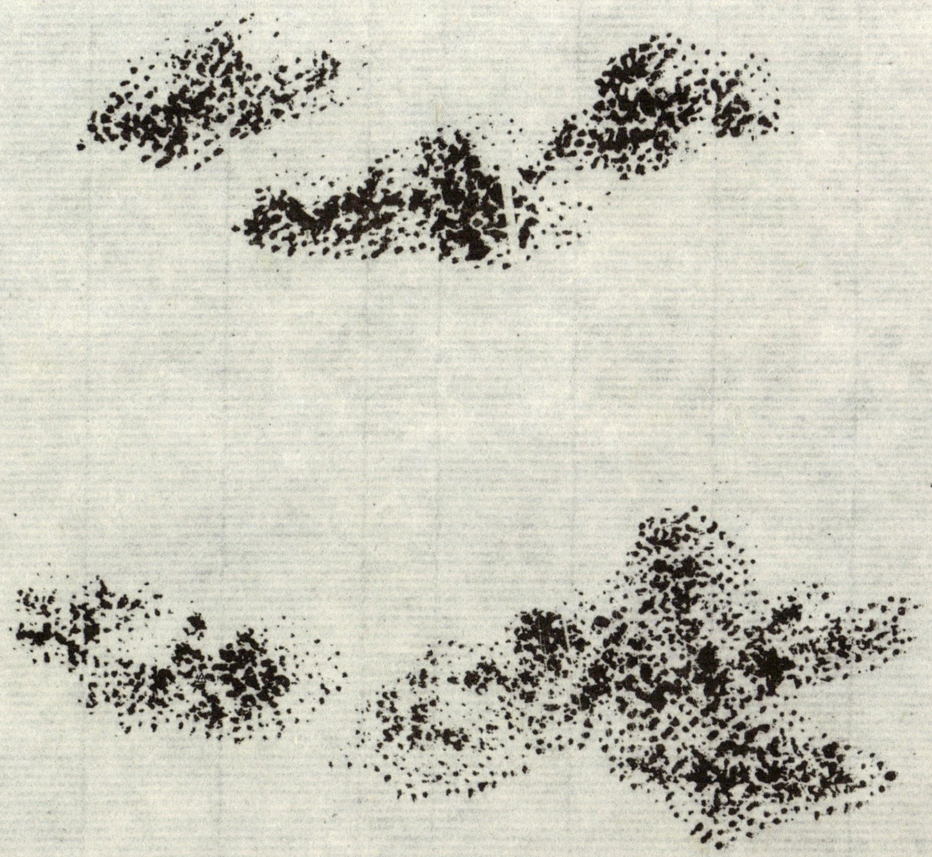

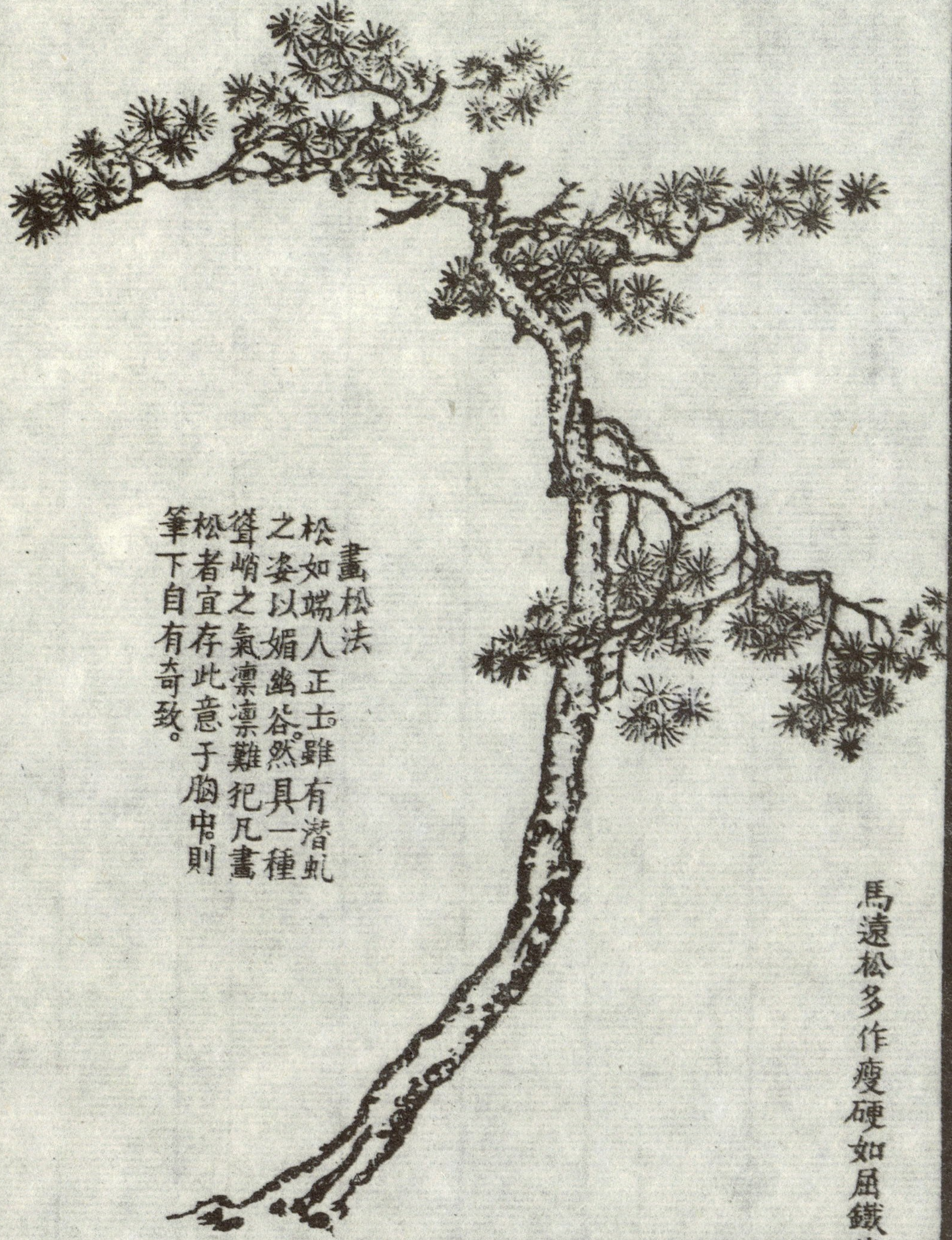

畫松法

松如端人正士雖有潛虬之姿以媚幽谷然具一種聳峭之氣凛凛難犯凡畫松者宜存此意于胸中則筆下自有奇致。

馬遠松多作瘦硬如屈鐵狀

李營丘松多作盤結如龍蟠鳳翥

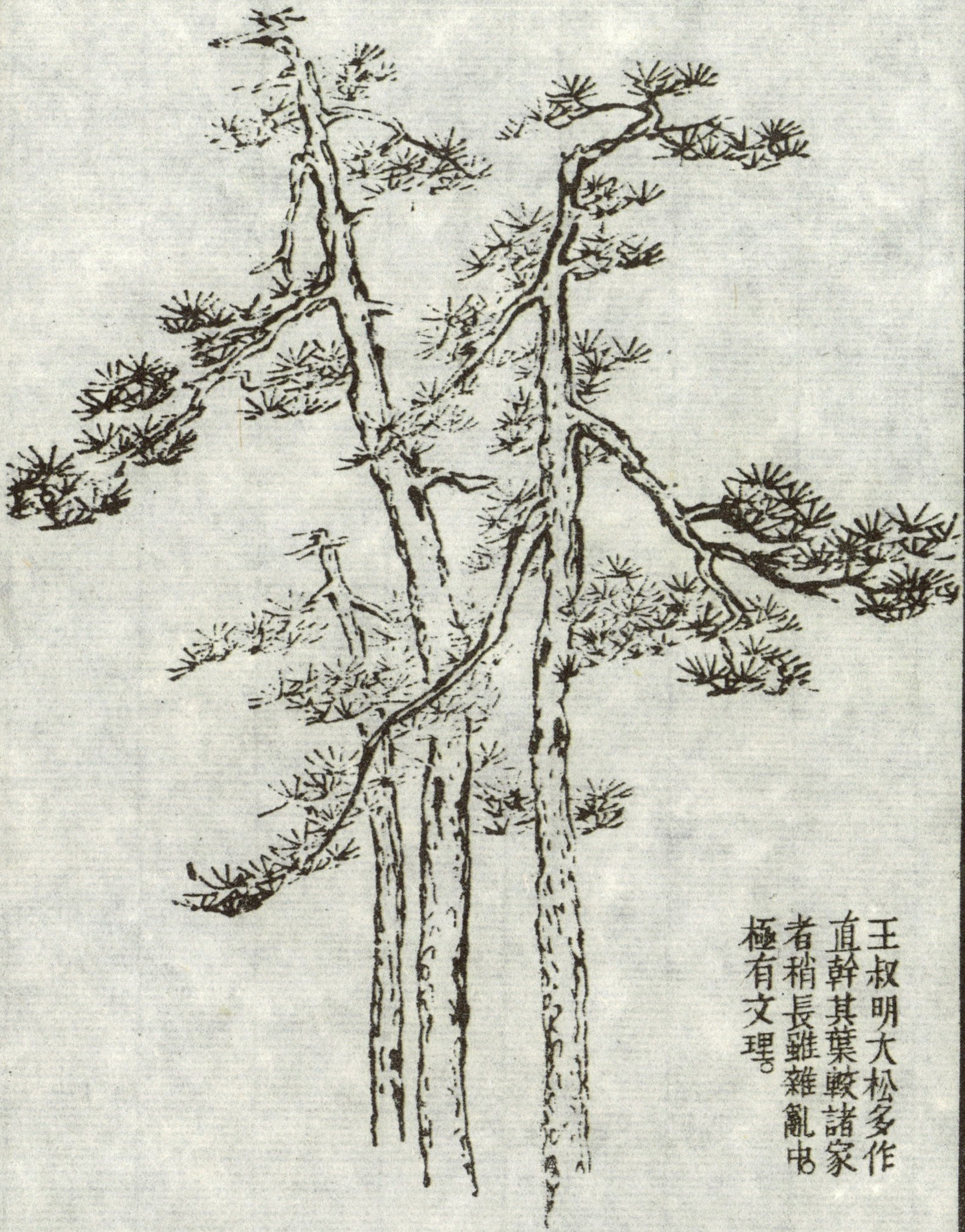

王叔明大松多作直幹其葉較諸家者稍長雖雜亂也極有文理。



馬遠間作破筆。最有丰致古氣蔚然畫此最難切不可似近日僞吳小仙惡筆。漫無法則也。

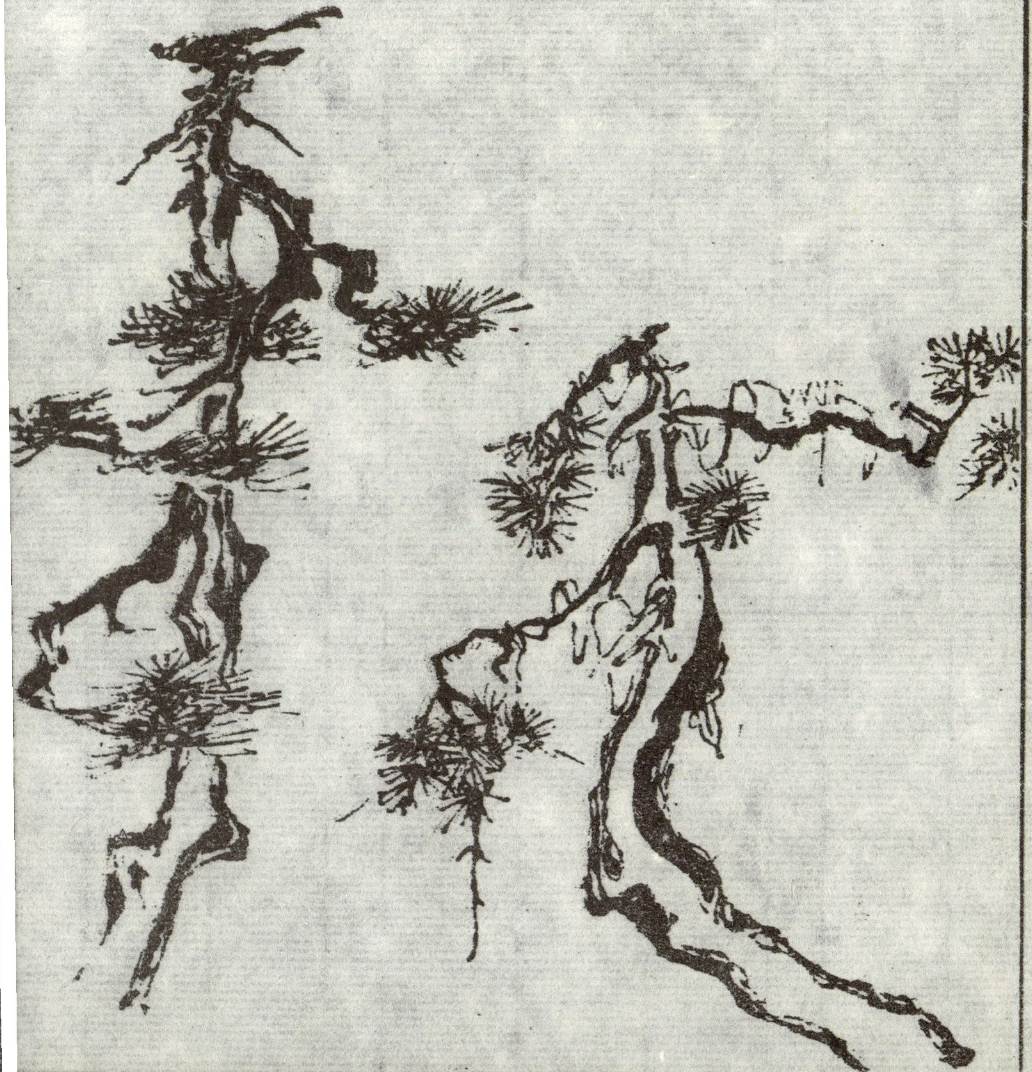

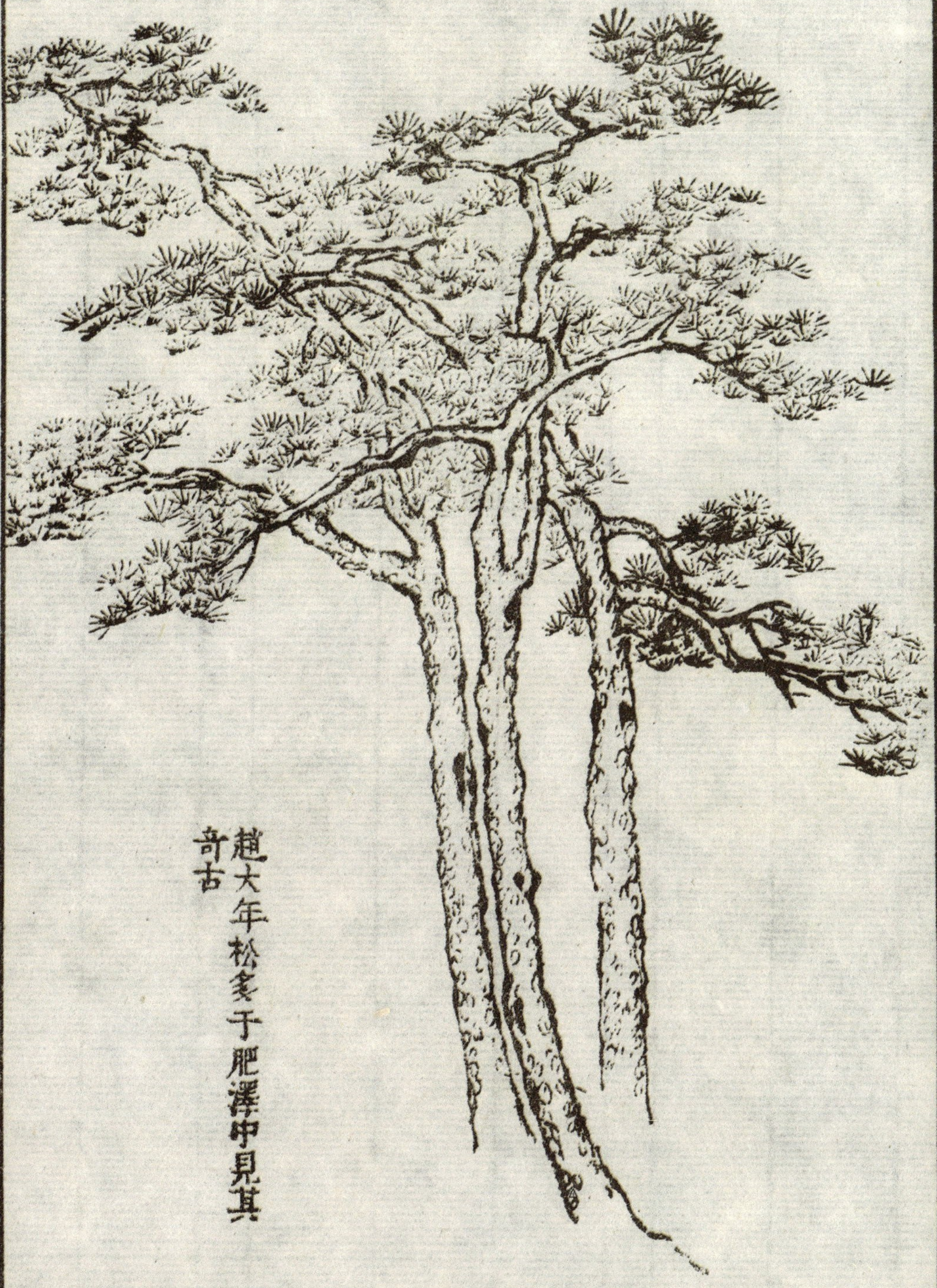

趙大年松多于肥澤中見其奇古



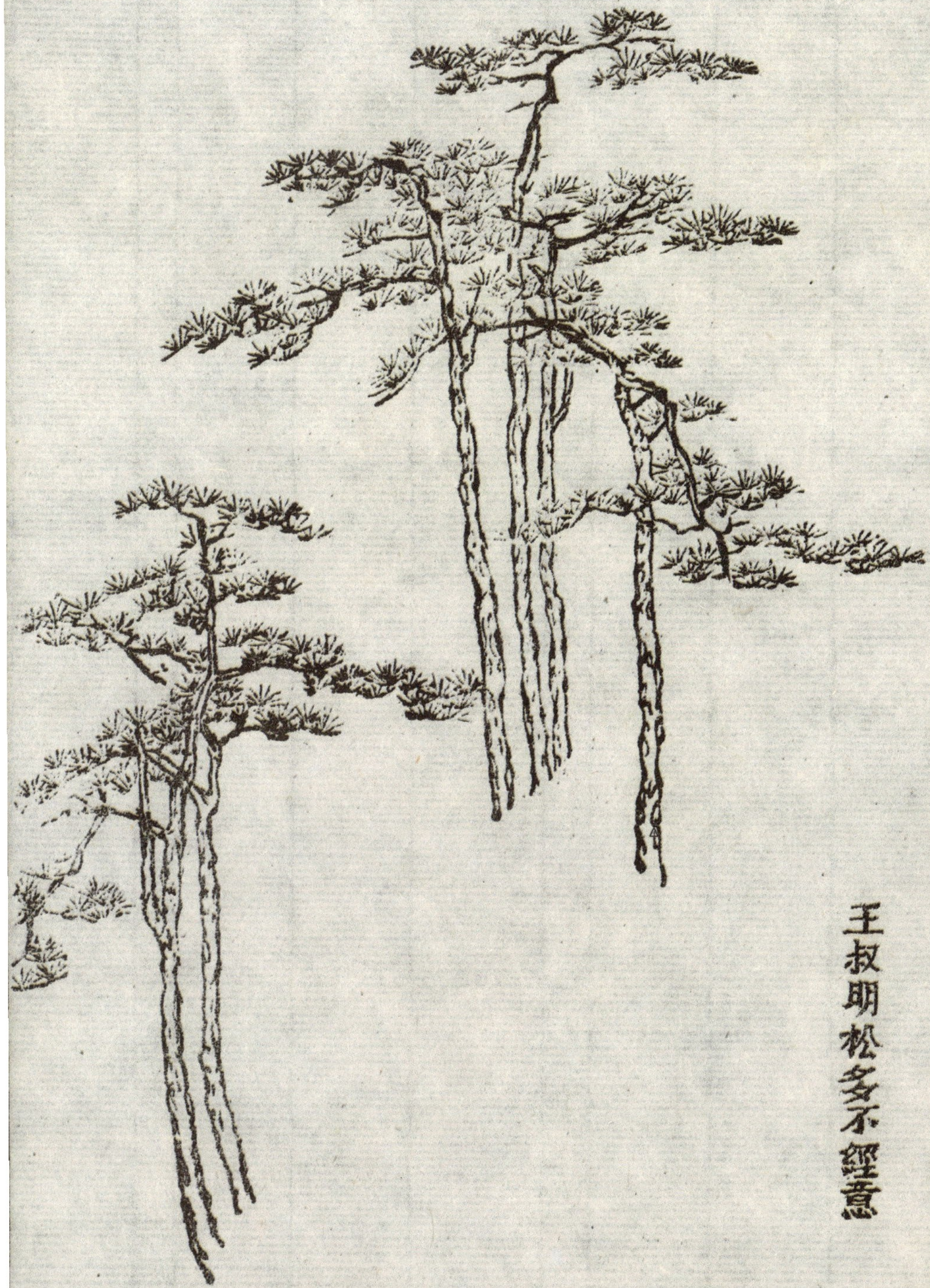

王叔明松多不經意

王叔明山頭遠松。每喜爲之千株萬株。叢雜無際。且半當點苔。能助山之姿態。

郭咸熙每作群松。大小相聯。轉濵下澗。一望不斷。

劉松年多作雪松四圍暈墨松針先以墨筆疎疎畫出再以草綠間點其幹則用淡赭着半邊留上半者雪也。

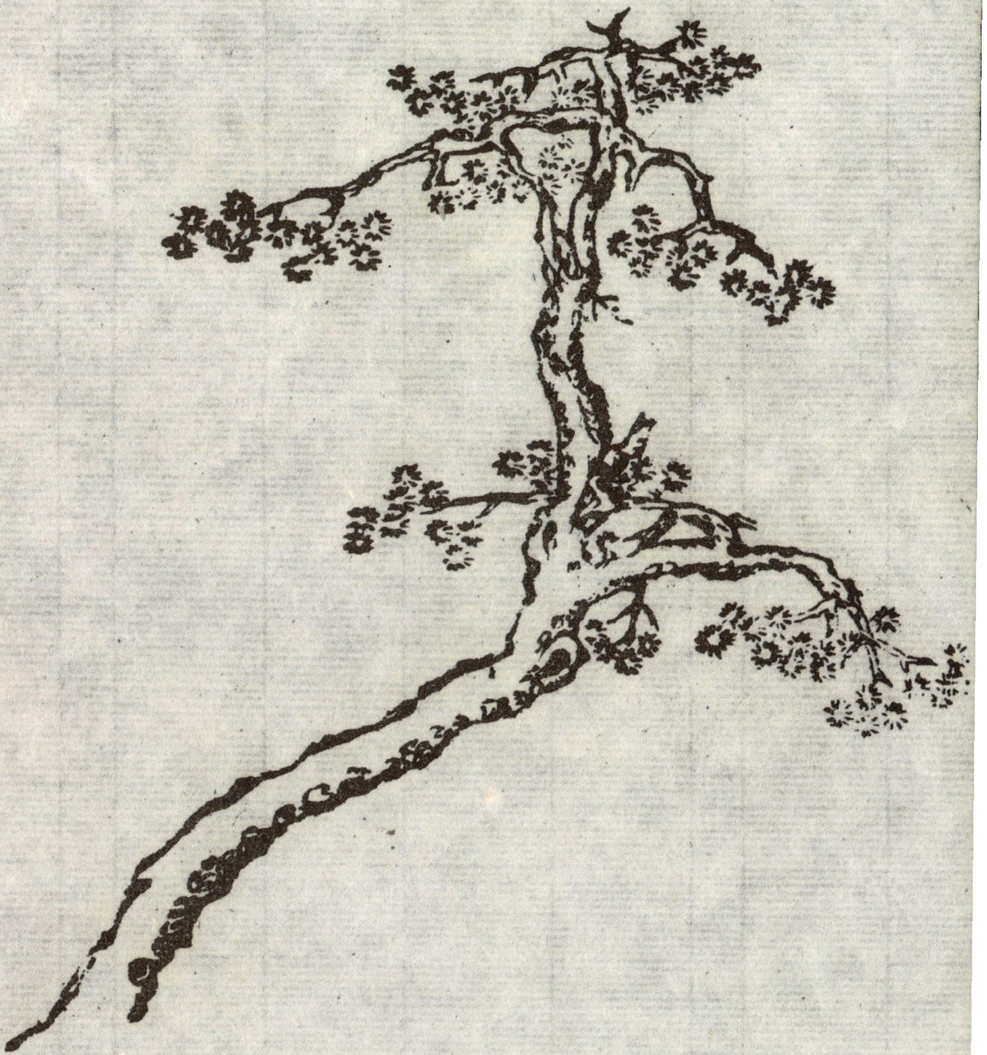





古柏僧巨然及梅道人多畫之

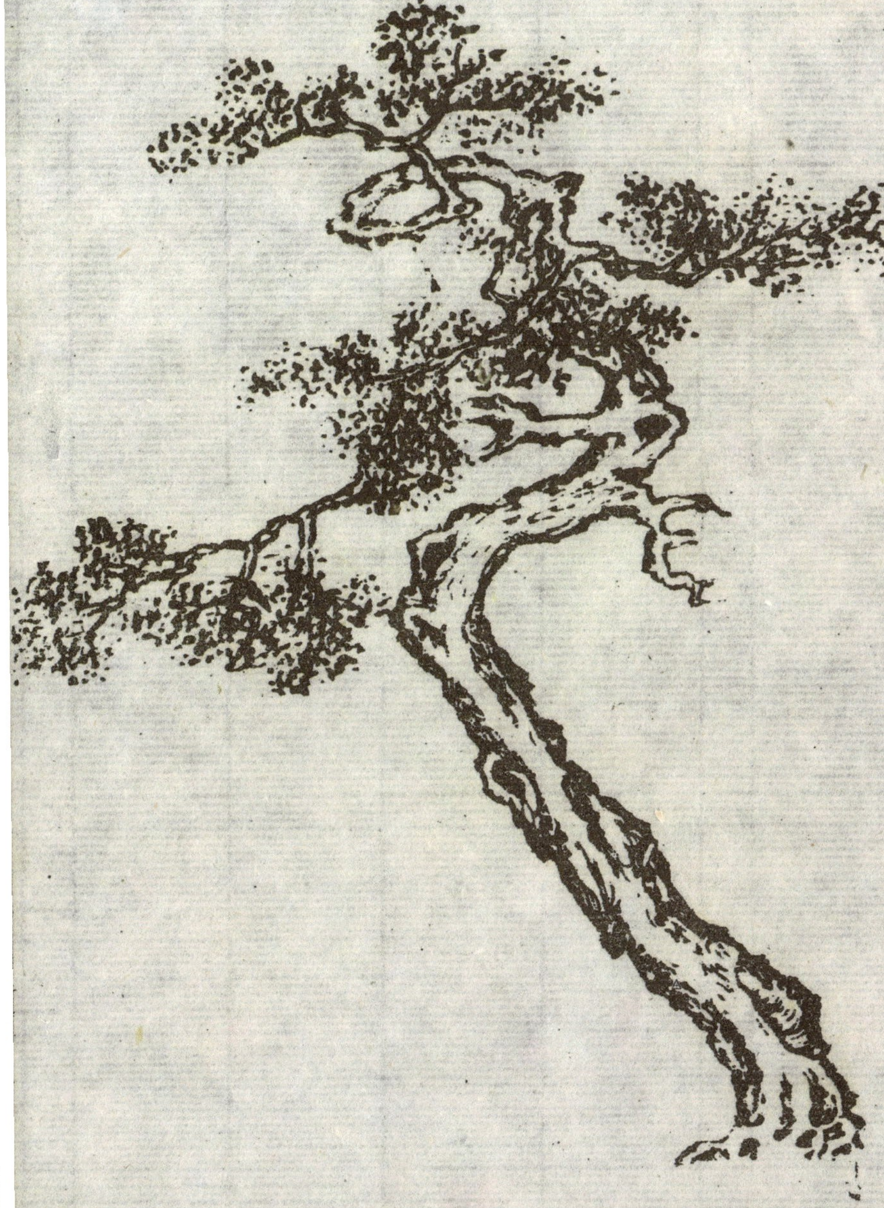

## 畫柳法

畫柳有四法。一鈎勒填綠。一但以汁綠漬則新稍則嫩黃。脚葉則老綠以分明晦。一再加深綠於綠點上輕點數小墨點上罩石綠留邊。一竟以墨綠而點以濃綠染之。大抵唐人多鈎勒。宋人多點葉。元人多漬染其分枝得勢。取迎風搖颺之致一也。又春二月柳未垂條。秋九月柳已衰颯。未可相混。○樹中之柳。如人中之西子毛嬙。仙中之宓妃。列子。其凌波御風之態。掩映于水邊林下。最不可少。故趙千里及趙松雪多畫之。而松雪於水村圖。濃淡但以墨抹。幽意無窮又一法也。

高垂柳　宋人多畫之

點葉柳　唐人多畫之

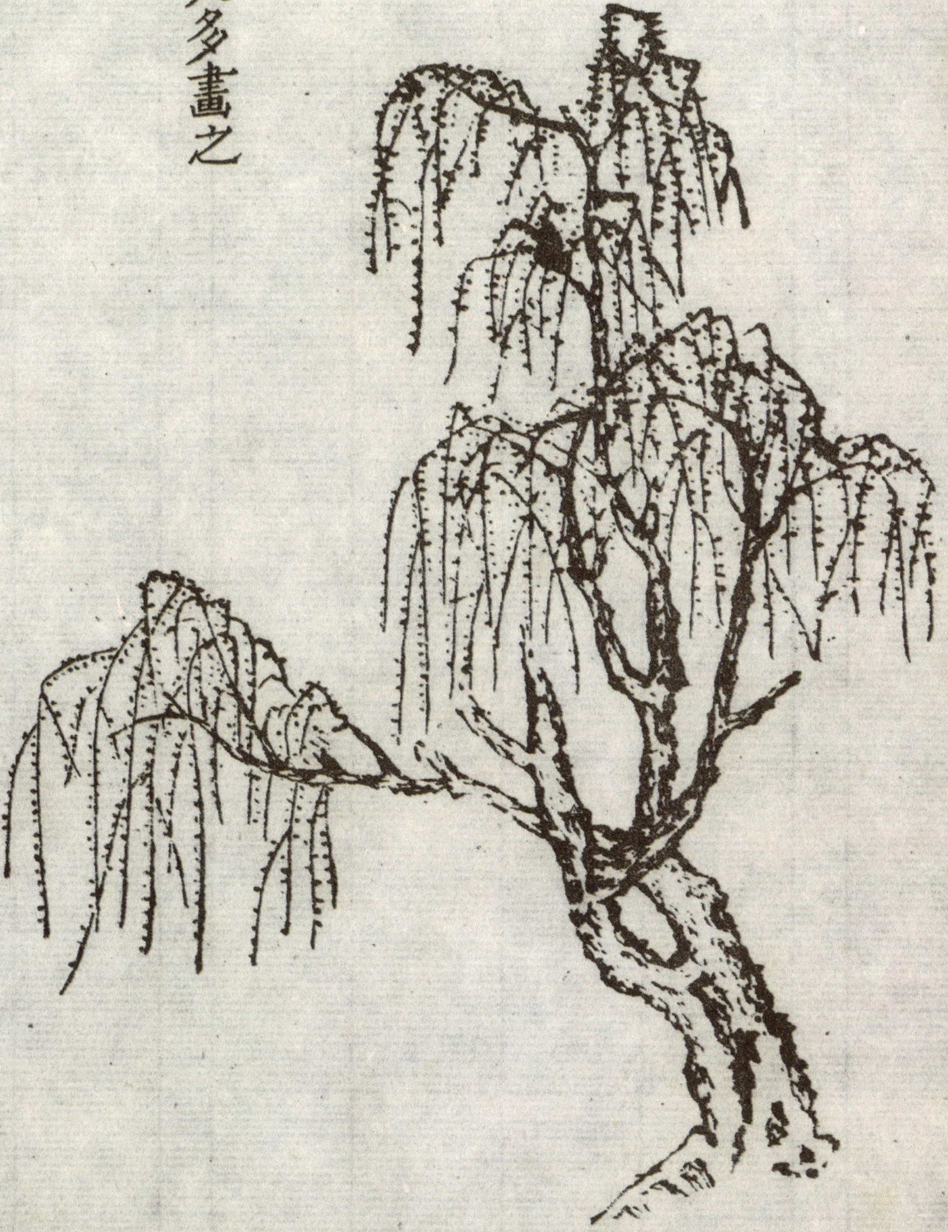

秋柳

趙吳興水村圖前謂又一法者卽此

髡柳

秋畫春。初。當画髡柳。於竹籬茅宇間有如靚女額髮初齊丰姿絕世画春初者可間桃花法。當以淡墨大筆画樁。再以墨分淺深。画柔條漬綠。若在絹上。則用石綠襯背。冬景及秋畫。則僅以赭石間綠。被之而已。

鈎葉柳

王維諸唐人及陳居中多畫之余嫌其太板故次于後以備一譜。

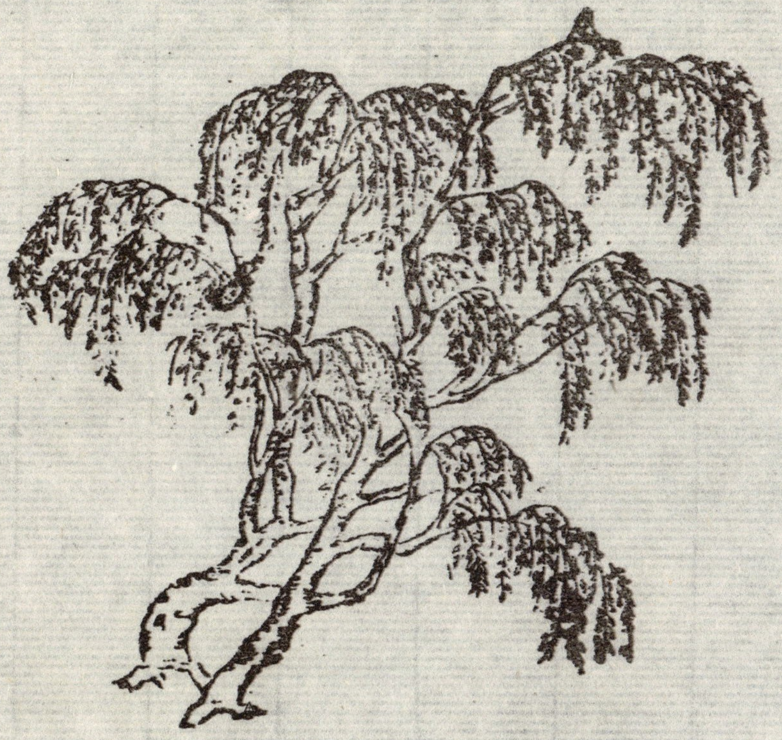

椶櫚樹唐人畫于園林山水中後郭忠恕每爲之

寫意芭蕉　若以淡墨留葉上一線

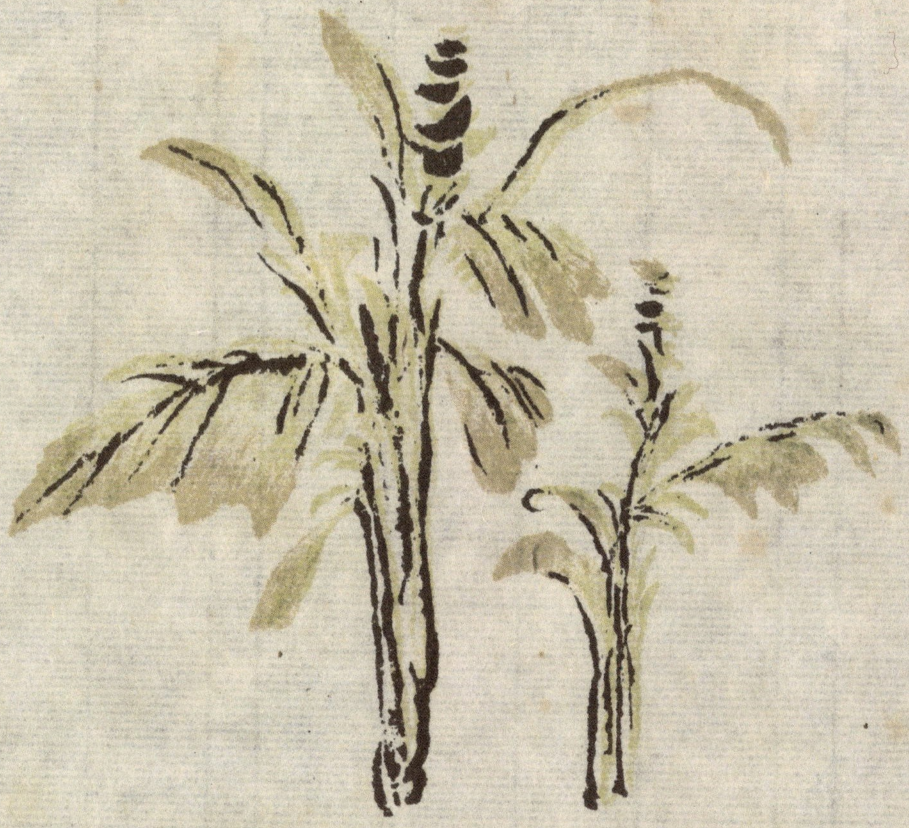



元人寫意梧桐或墨點
或罥以綠點

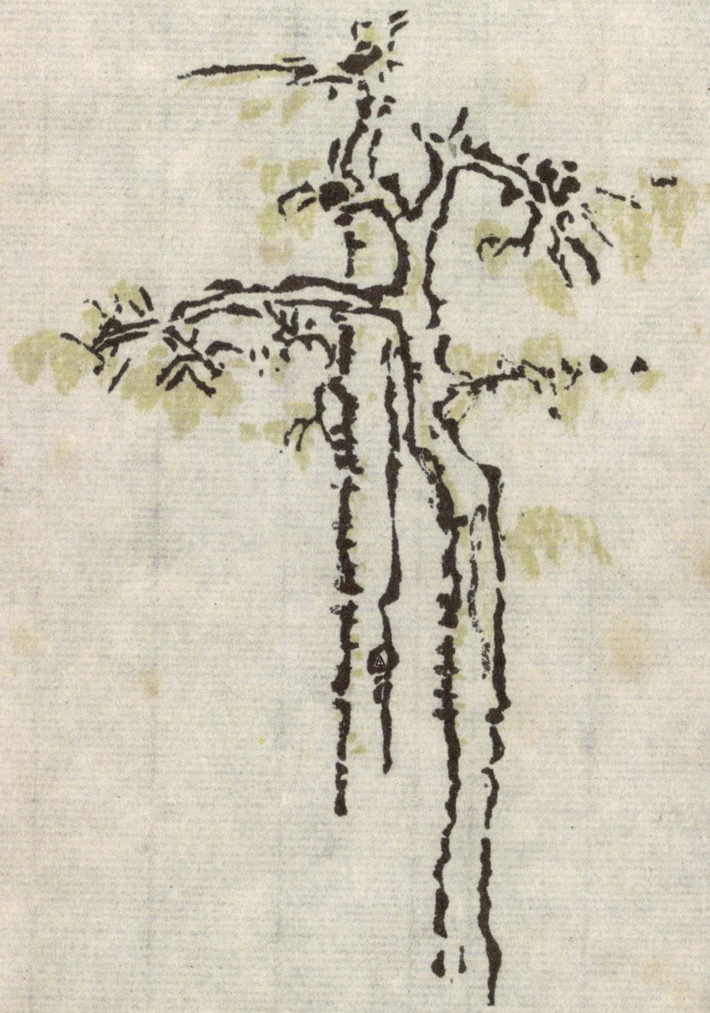

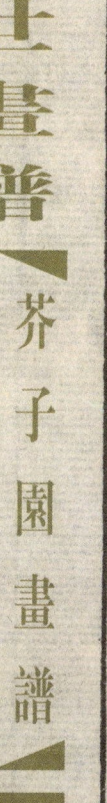

鈎勒梧桐見王維輞川圖

細鈎蕉葉唐人每爲之

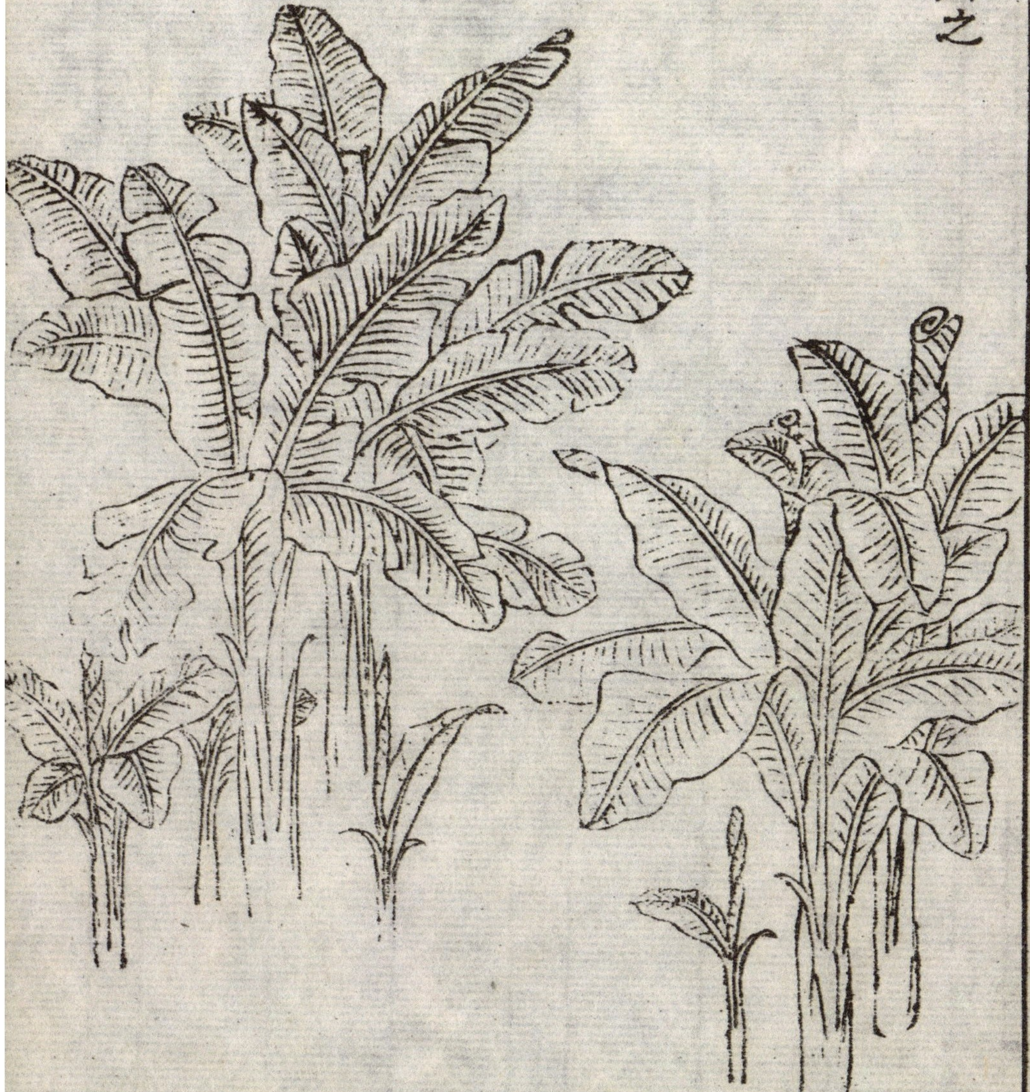

點花樹幹法

甚有分別。桃不可同於梅杏。梅杏亦不可同於別樹。大都梅條多直而橫勁。杏則古人有僅畫樹椿點者。桃則宜繁枝耳。

點桃樹幹法



點杏樹幹法

點梅樹幹法

畫小竹法

雲林于石根樹底。輙作幽篁柔篠。夕陽晼晚。於茅屋花箔間。直簌簌有聲。望而知爲幽人行徑。要具梳風掃月清逸之致。不可麤雜阻塞清氣。畫有三種。宜視樹石之體。而粗細配用之。

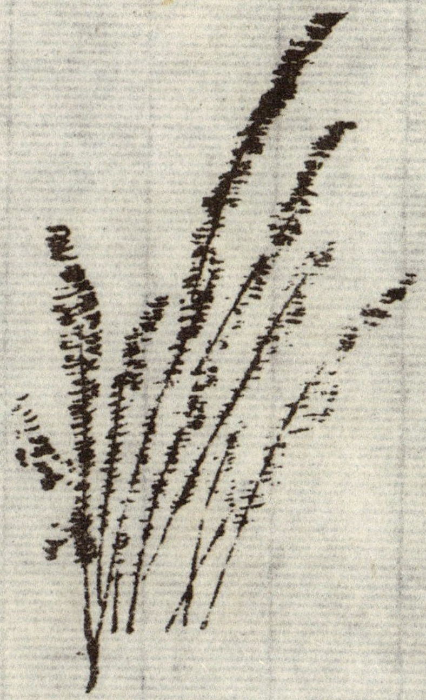



唐人畫樹。既雙鈎則點綴之稚竹。亦多飛白。頗覺有致。近日仇十洲。亦喜爲之。

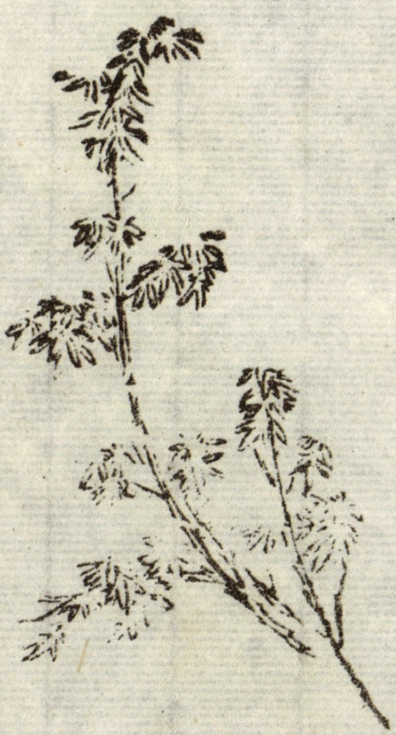

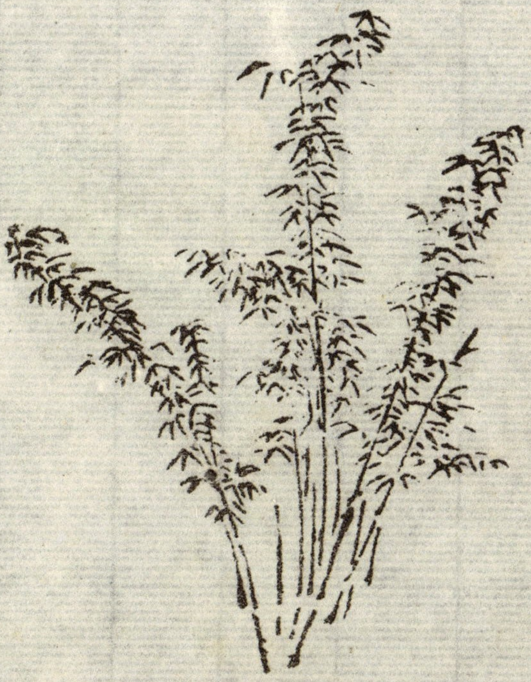

畫葭菼法

宋時名手。如巨然李范諸家。皆有漁樂圖。此起于烟波釣徒。張志和。蓋顏魯公贈志和詩。而志和自爲畫此唐勝事。後人蒙之。多寓意于漁隱。而元季尤多。蓋四大家皆在江南葭菼間習知漁趣故也。凡他圖則必有主樹。至漁樂則烟波淼瀰。樹不能爲之主。而主葭菼矣。故作此以殿草樹之後。

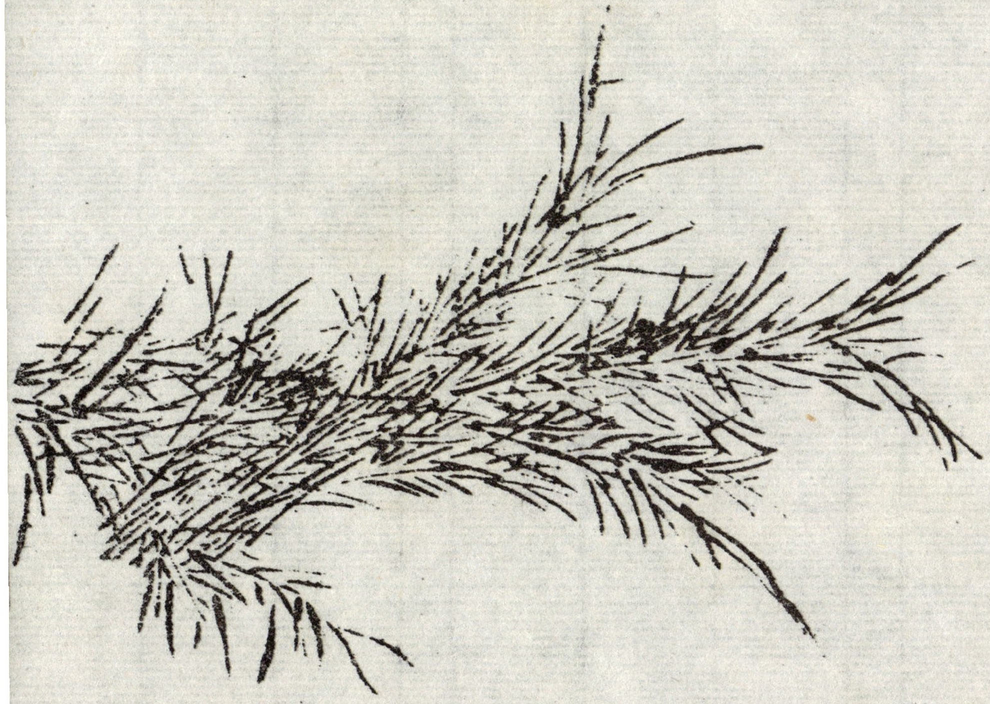